L'anglais

pour
écrire

en 1000 phrases

LAROUSSE

Rédaction
Penny Hands, Martine Pierquin

Coordination éditoriale
Cédric Pignon

Correction
Marie-Odile Martin, Ronan McErlaine

Secrétariat de rédaction
Paloma Cabot, Iris Llorca

Conception graphique
Jacqueline Bloch

Informatique éditoriale
Philippe Cazabet

Directeur de collection
Ralf Brockmeier

© Larousse 2009
21, rue du Montparnasse 75283 Paris Cedex 06, France

Réalisation I. G. S.– Charente-Photogravure
à l'Isle-d'Espagnac

ISBN 978-2 03-583760-8

Sommaire

L'anglais pour écrire

Guide de prononciation

Les lettres et combinaisons de lettres suivantes ont une prononciation différente du français :

a peut se prononcer :

[ɑ:] comme dans *after*,

[eɪ] comme dans *name*,

[ɒ] comme dans *wash*,

[ə] comme dans l'article *a*,

[æ] comme dans *manage*,

[eə] comme dans *care*.

e peut se prononcer [e] comme dans *ten*, ou[i:] comme dans *she*. Il peut aussi ne pas se prononcer comme dans *finished* [ˈfɪnɪʃt].

g peut se prononcer [g] comme dans *give*, ou [dʒ] comme dans *page*. Il peut aussi ne pas se prononcer comme dans *night* [naɪt].

h est aspiré dans la plupart des mots, comme dans *hat* [hæt]. Il peut également être muet comme dans *hour* [ˈaʊər].

i peut se prononcer :

[ɪ] comme dans *pig*,

[aɪ] comme dans *nice*,

[ɜ:] comme dans *bird*.

j se prononce [dʒ] comme dans *John*.

l peut se prononcer [l] comme dans *leg*, ou peut ne pas se prononcer comme dans *half* [hɑːf].

o peut se prononcer :

[ɒ] comme dans *coffee*,

[əʊ] comme dans *no*,

[u:] comme dans *move*,

[ʌ] comme dans *love*,

[ə] comme dans *tomato*.

q peut se prononcer [kw] comme dans *question*, ou [k] comme dans *technique*.

r peut se prononcer [r] comme dans *rich*, ou peut ne pas se prononcer comme dans *farm* [fɑːm].

s peut se prononcer [s] comme dans *miss*, ou [z] comme dans *rose*.

Le *s* final du pluriel des noms et le *s* des verbes à la troisième personne du singulier peuvent se prononcer [s] comme dans *cats*, *works*, [z] comme dans *dogs*, *lives* ou [ɪz] comme dans *houses*, *rises*.

u peut se prononcer :

> [ju:] comme dans *music*.
> [ʌ] comme dans *but*.
> [ə] comme dans *surprise*.

w peut se prononcer [w] comme dans *wet* ou peut ne pas se prononcer comme dans *two* [tu:].

y peut se prononcer :

> [j] comme dans *yes*.
> [aɪ] comme dans *cry*.
> [ɪ] comme dans *fifty*.

La combinaison *ai* peut se prononcer [eə] comme dans *chair* ou [eɪ] comme dans *wait*.

La combinaison *au* peut se prononcer [ɒ] comme dans *because* ou [ɔ:] comme dans *daughter*.

La combinaison *aw* peut se prononcer [ɒ] comme dans *saw* ou [ɔ:] comme dans *law*.

La combinaison *ee* peut se prononcer [i:] comme dans *three* ou [ɪə] comme dans *deer*.

La combinaison *ea* peut se prononcer [i:] comme dans *tea* ou [ɪə] comme dans *ear*.

La combinaison *ow* peut se prononcer [əʊ] comme dans *blow* ou [aʊ] comme dans *cow*.

La combinaison *oo* peut se prononcer [u:] comme dans *food*, [ɔ:] comme dans *door* ou [ʌ] comme dans *blood*.

La combinaison *oy* se prononce [ɔɪ] comme dans *boy*.

La combinaison *ou* peut se prononcer [aʊ] comme dans *mouse*, [ɔ:] comme dans *of course*, [ʌ] comme dans *enough*, ou encore [u:] comme dans *through*.

Certains sons n'ont pas d'équivalent ou sont rares en français, ainsi :

> – les lettres *th* que l'on prononce [ð] comme dans *the*, *this*, *mother* ou [θ] comme dans *three*, *think*, *thank you*.
> – les lettres *ng* en finale que l'on prononce [ŋ] comme dans *song* et *morning*.

1. Les lettres

Le papier à lettres

Le papier à lettres utilisé pour la correspondance commerciale est de format A4 ; on utilise de préférence le format A5 pour la correspondance personnelle. Toute correspondance à caractère formel doit être tapée à la machine ou rédigée par traitement de texte, sur le recto uniquement. Il existe sinon un très vaste choix de cartes de vœux ou fantaisie destinées à la correspondance privée.

Présentation d'une lettre destinée à un ami ou un proche

Dans une lettre personnelle, l'adresse de l'expéditeur (sans son nom) est en haut à droite de la feuille. La date est placée juste en dessous.

La date peut s'écrire de différentes façons. Soit en entier : *29 September 2002*, *12th July 2002*, *3rd January 2002*, *19th April 2002*.

⚠️ **Le nom de la ville d'où écrit l'expéditeur n'est pas donné avant la date. On peut faire figurer le *'th'*, le *'st'* ou le *'rd'* après le chiffre, mais cette variante n'est aujourd'hui plus aussi usitée. Aux États-Unis, dans la correspondance personnelle, les nom et adresse de l'expéditeur n'apparaissent pas.**

Soit en abrégé : *29-Sept-02*, *29/09/02*, *29.09.02*.

⚠️ **L'ordre du jour et du mois est inversé aux États-Unis et dans les pays qui ont adopté le système**

américain. Ainsi *'12.08.02'* **aux États-Unis signifie** *'8 December 2002'***, alors qu'en Grande-Bretagne il s'agit du** *'12 August 2002'.*

La présence de la virgule n'est pas obligatoire après la formule d'appel. Notez cependant que si la formule d'appel est suivie d'une virgule, la formule finale le sera également.

La signature se place sous la formule finale et non pas à droite.

Un alinéa est généralement placé en début de paragraphe (*'indented style'*), facilitant ainsi la lecture des lettres manuscrites.

Enfin, les croix qui peuvent figurer au bas de la lettre représentent chacune un baiser.

⚠ **Le pronom sujet de la première personne est souvent omis dans la correspondance lorsque le style est familier.**

Présentation d'une lettre formelle ou de type commercial

Dans des lettres à caractère plus formel, le nom et l'adresse de l'expéditeur figurent en haut à droite (sauf s'il s'agit de papier à en-tête, auquel cas ils figurent en haut au centre de la page). Le nom (ou le titre) et l'adresse du destinataire figurent à gauche, au-dessus d'un éventuel numéro de référence ou d'un objet ainsi que de la formule d'appel. L'objet est fréquent dans ce type de lettres et est un bref résumé du contenu.

Les paragraphes ne sont pas en retrait dans ce type de lettres (*'blocked style'*), et le style britannique veut qu'il n'y ait pas de ponctuation après la formule finale s'il n'y en a pas après la formule d'appel (aux États-Unis, en revanche, la formule est suivie d'une virgule). Enfin, la signature se place sous la formule finale.

47 Mulberry Lane,
Oxford
OX4 3LA

5th May 2002

Dear Jane,

Just a few lines to let you have my new address. Sorry I haven't been in touch for so long but we've been very busy trying to organize the move. As always, there were a lot of last-minute complications, but we are now in Oxford and both looking forward to starting our new jobs.

I would have called you but the telephone has not been connected yet. I'll let you have the number as soon as I know it myself.

I must admit that I was a bit sad to leave Paris, but I'm sure it was the right decision. We've already joined the local tennis club in the hope of meeting people and all the neighbours seem really friendly. You'll have to come and see us when we've finished unpacking!

Hope you're well and not working too hard. Drop us a line when you have time. It's always great to hear from you.

Love,

Carol
XXX

⚠️ **Notez que dans le corps de la lettre, les dates ne sont jamais précédées de *'of'* ou de *'the'*. On prononce toutefois *'July the seventh'* ou *'the seventh of July'*. *'Enc'* (*'enclosed'*) en toute fin de lettre indique qu'il y a des pièces jointes au courrier.**

Harvey & Co
29 Mudeford Road
Manchester
M14 6FR
Tel: 0161 543 7644
E-mail: harvey@uniline.co

The Manager
Lakelands Hotel
Windermere
Cumbria WI6 8YT   2 May 2002

Re: Reservation of conference facilities

Dear Sir or Madam

Following our telephone conversation of this morning, I am writing to confirm the reservation of your conference facilities for the weekend of July 7 and 8.

There will be a total of sixty-eight participants, most of whom will be arriving on the Saturday morning. As I mentioned on the phone, we would like to have a light lunch provided and a four-course meal in the evening. In addition we would appreciate coffee, tea and biscuits mid-morning and mid-afternoon.

If you need to discuss any details, please do not hesitate to contact me. I enclose a list of the participants for your information.

Thanking you in advance.

Yours faithfully
Brian Woods
Mr Brian Woods

Enc

2. Formules d'appel et formules finales

Lettre destinée à un ami ou à un proche

Voici les principales formules d'appel et formules finales utilisées dans ce type de lettres en Grande-Bretagne et aux États-Unis. Ainsi, à des amis ou à des membres de sa famille, on écrira :

Formules d'appel	Formules finales
Dear David	*Love*
Dear Lily	*With love*
Dear Mum and Dad	*Love from us both*
Dear uncle Toby	*Love to all*

Ces formules finales sont les plus couramment employées. Notez qu'un homme s'adressant à un homme préférera des formules plus neutres et évitera d'utiliser *Love*.

My dearest Jill	*Lots of love*
My dear Patrick	*All my love*
	With all our love

Ces formules sont plus affectueuses.

	Yours
	All the best (Brit)
	Best wishes

Ces dernières formules sont plus neutres.

À des amis ou à des connaissances :

Formules d'appel	Formules finales
Dear Angela	*With best wishes*
Dear Jane and Mike	*With kind regards*
Dear Mrs Thompson	*Kindest regards*
Dear Mr Martin	*Regards*
Dear Mr and Mrs Adams	*Yours*

Lettre d'affaires ou formelle

Si le nom de votre destinataire vous est connu, vous pourrez employer :

Formules d'appel	Formules finales
Dear Mr Jones	*Yours sincerely (Brit)*
Dear Mrs Clarke	*Sincerely (Am)*
Dear Ms Fletcher	*Yours truly (Am)*

Dans de nombreuses situations, on préfère aujourd'hui l'abréviation *'Ms'*, qui s'applique aussi bien à une femme mariée qu'à une femme célibataire. Utilisez *'Ms'* si vous ignorez le statut marital de votre correspondante ou quand celle-ci préfère qu'on l'appelle ainsi, qu'elle soit mariée ou non. Dans le doute, choisissez toujours *'Ms'*.

Dear Dr Martin	*With best wishes*
	With kind regards

Ces dernières formules peuvent être utilisées lorsqu'un premier contact a déjà eu lieu et que l'on veut marquer sa sympathie au correspondant.

Si vous vous adressez à quelqu'un dont vous ne connaissez pas le nom :

Formules d'appel	Formules finales
Dear Sir	*Yours faithfully (Brit)*
Dear Madam	*Sincerely yours (Am)*

Enfin, si vous vous adressez à quelqu'un dont vous ne savez si c'est un homme ou une femme et dont vous ignorez le nom :

Formules d'appel	Formules finales
Dear Sir or Madam	*Yours faithfully (Brit)*
Dear Sir/Madam	*Sincerely yours (Am)*
Dear Sirs	

3. Présentation d'une enveloppe

L'adresse se place au milieu de l'enveloppe ; l'expéditeur peut éventuellement écrire son adresse au dos de l'enveloppe, en haut. On donne aujourd'hui couramment les abréviations des titres, les initiales et les adresses sans ponctuation :

> Mr J P Taylor
> Flat 3
> 399 Manor Ave
> Penwortham
> Preston
> Lancs
> PR1 0XY

4. Abréviations utilisées sur les enveloppes

Dr (Doctor)	*Ave (Avenue)*
Docteur	Avenue
Prof (Professor)	*Blvd (Boulevard)*
Professeur	Boulevard
St (Street)	*Rd (Road)*
Rue	Rue

5. Codes Postaux

Les codes postaux britanniques se présentent généralement sous la forme de deux groupes de lettres et de chiffres. Les premières lettres désignent le centre de distribution le plus proche (par exemple *'BN'* pour *'Brighton'* ou *'EH'* pour *'Edinburgh'*/*Édimbourg*). Seul Londres ne suit pas ce système, les deux lettres correspondant aux points cardinaux : *'W'* (*'West'*), *'SW'* (*'South West'*), etc.

6. Les e-mails

L'en-tête

L'en-tête d'un nouveau message est composé d'une série de rubriques. La première, *'To'* (*À*) est pour l'adresse du destinataire, la rubrique *'Cc'* (*'courtesy copy'*) et celle appelée *'Bcc'* (*'blind courtesy copy'*) servent à envoyer des copies de l'e-mail. Cette dernière est réservée aux copies pour lesquelles vous ne voulez pas que le nom du destinataire en copie apparaisse. La rubrique *'Subject'* est bien sûr prévue pour l'objet du message.

Formules d'appel et de salutations

La formule d'appel n'est pas indispensable dans un e-mail. Les formules suivantes sont les plus courantes pour les messages familiers :

⚠ **Dans un style plus formel, *'Dear'* (suivi du nom) est recommandé.**

Pour dire au revoir de manière informelle, on trouve :

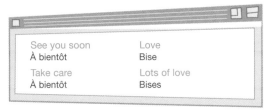

Dans un e-mail plus formel, on peut dire :

All the best
Cordialement

Best wishes
Salutations

Kind regards
Meilleures salutations

Abréviations utilisées dans la correspondance e-mail

Les abréviations et les contractions sont très courantes dans les e-mails. Voici quelques exemples que vous risquez de rencontrer ou de vouloir utiliser :

AFAIK (as far as I know)
Autant que je sache

B4 (before)
Avant

BTW (by the way)
Au fait

cld (could)
Pouvoir (conditionnel)

FYI (for your information)
Pour votre information

GR8 (great)
Super

HTH (hope this helps)
En espérant que cela te sera utile

IMHO (in my humble opinion)
À mon humble avis

msg (message)
Message

prhps (perhaps)
Peut-être

TNX (thanks)
Merci

WRT (with regard to)
Rapport à

7. Les textos

D'autres abréviations ont été inventées spécialement pour les textos et les sujets les plus couramment abordés dans ce type de communication (entre parenthèses, leur signification en anglais) :

CU (see you) À bientôt	RUOK? (are you OK?) Ça va ?
CUL8R (see you later) À bientôt	THNQ (thank you) Merci
F2T? (free to talk?) Tu peux parler ?	TTFN (ta ta for now) À plus !
ILUVU (I love you) Je t'aime	Wknd (weekend) Week-end
Luv (love) Bises	xx (kisses) Bises
OIC (oh, I see) Je vois	
PLS (please) STP	

1. Remerciements par lettre

Remerciements pour un cadeau

La plupart des gens préfèrent recevoir une lettre de remerciement à un e-mail. Remercier pour un cadeau de mariage doit impérativement se faire par lettre. Précisez toujours ce pourquoi vous remerciez votre correspondant, en soulignant combien son intention a été appréciée. Personnalisez votre lettre afin de ne pas donner l'impression d'avoir envoyé une lettre semblable à tout le monde !

" *Thank you very much for the beautiful vase.*
Merci beaucoup pour le beau vase.»

" *Thank you so much for the gorgeous outfit you sent Marie.*
Nous vous remercions pour la superbe tenue envoyée à Marie. »

" *Many thanks for the stunning flower arrangement you sent.*
Tous nos remerciements pour ce magnifique bouquet.»

 Notez que *'thank you'* n'est précédé d'aucun sujet.

S'il s'agit d'un cadeau pour une occasion particulière (mariage, anniversaire, Noël), vous pourrez ajouter quelques mots sur le jour de l'événement :

" *We really appreciated the effort you made to come such a long way to the wedding.*
Nous avons été touchés que vous acceptiez de faire un si long voyage pour assister à notre mariage. »

" *It was lovely to see you at the party.*
Nous avons été très heureux de vous voir à la soirée. »

" *We had a really great Christmas.*
Nous avons passé un très bon Noël. »

" *The party was a great success.*
La fête était très réussie. »

Vous pourrez enfin conclure votre lettre par une référence à l'avenir, en mentionnant une prochaine visite ou en exprimant vos vœux :

" *All the best for a very happy year ahead.*
Meilleurs vœux pour l'année à venir. »

" *Looking forward to seeing you all again in Scotland in July.*
En attendant le plaisir de vous revoir tous en Écosse en juillet. »

⚠ **Notez que l'expression** *'looking forward to...'* **ou, de façon plus formelle,** *'I/we look forward to...'* **, est toujours suivie d'un verbe avec un préfixe en** *'-ing'.*

Modèle de lettre de remerciement

> 6 Poplar Avenue
> East Bordsley
> Wiltshire
> SH5 9TY
>
> 3 August 2002
>
> Dear Hilary,
> Just a quick note to say thank you so much for the gorgeous flowers you sent. They really are beautiful, and have pride of place in our hallway.
> The party was a great success. It was such a shame you couldn't come. I hope we can get together soon and exchange news.
> Anyway, thanks ever so much again. The thought was really appreciated.
> Best wishes
> Judith

> 3 août 2002
>
> *Chère Hilary,*
>
> *Un petit mot pour te remercier des très jolies fleurs que tu nous as envoyées. Elles sont vraiment superbes et sont du plus bel effet dans notre entrée.*
>
> *La fête était très réussie. Quel dommage que tu n'aies pas pu venir. J'espère que nous nous reverrons bientôt.*
>
> *Encore une fois merci. Ton geste m'a beaucoup touchée.*
>
> *Amicalement,*
>
> *Judith*

2. Remerciements à la suite d'une visite

Introduire un remerciement

En introduction, vous pouvez préciser le motif de votre remerciement :

" *I just wanted to say thanks for the great week end we spent with you.*
Je tenais à vous remercier pour l'excellent week-end passé en votre compagnie. »

" *We had a really lovely time last week. Thank you so much.*
Nous avons passé d'excellents moments la semaine dernière. Merci beaucoup. »

" *Thank you so much for the lovely meal you gave us last night.*
Nous vous remercions pour le délicieux repas d'hier soir. »

Pour compléter votre lettre de remerciement, vous pouvez préciser ce que vous avez particulièrement apprécié durant votre visite :

" *The food was fantastic, and we all feel really rejuventated from the break.*
La cuisine était formidable et ces petites vacances nous ont fait le plus grand bien. »

" *The chocolate pudding in particular was delicious.*
Le gâteau au chocolat était un délice ! »

" *It was lovely to see you all again, and to have time to catch up properly.*
C'était très agréable de vous revoir et d'échanger des nouvelles après si longtemps. »

⚠ *'To catch up'* **signifie s'informer de ce qui s'est passé entre deux échanges de nouvelles.**

Vous pouvez conclure en retournant à votre tour l'invitation et en exprimant le plaisir que vous aurez à recevoir votre correspondant.

" *You must come to us next time.*
La prochaine fois, c'est à vous de nous rendre visite. »

" *How are you fixed up for Easter?*
Avez-vous des projets pour Pâques ? »

Remercier une relation pour son hospitalité
Si vous avez été invité par quelqu'un que vous ne connaissez pas très bien, votre lettre aura alors un style plus formel :

Dear Peter,

Many thanks for a most enjoyable evening.

It was very kind of you to take time out to show me round York last week. I hadn't realised how beautiful your city really is, or how good English food can be!

I do hope I will be able to reciprocate when you're next in Paris.

In the meantime, please give my regards to your wife.

Best wishes,

Jacques

> *Cher Peter,*
>
> *Merci maintes fois pour l'excellente soirée passée ensemble la semaine dernière.*
>
> *C'était très gentil de votre part de vous libérer pour me faire visiter York. Je ne savais pas que c'était une si belle ville, ni que la cuisine anglaise pouvait être si bonne !*
>
> *J'espère que j'aurai l'occasion de vous rendre la pareille quand vous viendrez à Paris.*
>
> *D'ici là, recevez mes meilleures salutations et saluez aussi votre femme de ma part.*
>
> *Bien amicalement,*
>
> *Jacques*

⚠ **Notez que l'expression** *'I would like to thank you for ...'* **est une expression recherchée, et convient mieux de ce fait à des remerciements formels.**

3. Remerciements par e-mail

Il est courant d'envoyer un e-mail pour remercier quelqu'un d'un repas ou même d'un court séjour, surtout s'il s'agit d'un ami proche ou d'un membre de votre famille. Le style communément choisi est celui de la conversation amicale et diffère peu de la langue parlée. En guise d'introduction, vous pouvez commencer par préciser la raison de votre remerciement :

" *Thank you ever so much for helping us out last night. I don't know what we'd have done without you.*
Merci beaucoup de votre aide hier soir. Je ne sais comment nous aurions fait sans vous. »

" *Thank you for everything you've done.*
Merci pour tout ce que vous avez fait pour nous. »

" *I really appreciate everything you've done.*
Je suis très sensible à tout ce que vous avez fait pour nous aider. »

> " *Thanks a million for last week. We had a great time.*
> *Mille mercis pour la semaine dernière. C'était vraiment formidable.* »

Vous pouvez ajouter un compliment en rapport avec l'invitation :

16

> " *It was great to see you all again.*
> *C'était bien agréable de vous revoir.* »

> " *I haven't had such a laugh in ages.*
> *Il y a longtemps que je n'avais autant ri.* »

> " *Your cooking just gets better and better.*
> *Votre cuisine est de plus en plus délicieuse !* »

En conclusion, vous pouvez mentionner un prochain contact et adresser vos salutations :

> " *I'll give you a ring some time next week.*
> *Je vous appelle la semaine prochaine.* »

> " *See you soon.*
> *À bientôt.* »

> " *Love to Jackie and the kids.*
> *Amitiés à Jackie et aux enfants.* »

4. Courriers de félicitations

Afin de féliciter leurs proches, Britanniques et Américains aiment à envoyer une carte. On trouve ainsi dans le commerce des cartes spéciales destinées à fêter les événements importants, tels une naissance ou l'obtention du permis de conduire. Voici quelques tournures des plus couramment employées pour introduire un message de félicitations :

> " *Just a quick note to say congratulations on doing so well on your exams.*
> *Un petit mot pour te féliciter de ton succès aux examens.* »

> " *I just wanted to say well done for getting the job.*
> *Je voulais juste te féliciter pour ton nouveau travail.* »

> " *Congratulations on the new addition to the family!*
> *Félicitations pour le petit dernier !* »

" *We were delighted to hear of the birth of baby Jack.*
Nous avons été très heureux d'apprendre la naissance du petit Jack. »

" *We were over the moon to hear your fantastic news.*
C'est avec joie que nous avons appris la bonne nouvelle. »

17

⚠ **La formule** *'to be over the moon'* **est l'équivalent de l'expression française** « *être au paradis* » **et s'utilise pour exprimer un sentiment de grande joie.**

Pour compléter, vous pouvez ajouter un mot flatteur en rapport avec le succès de votre correspondant.

" *I always knew you'd pass, but to do so well is just fantastic.*
Je n'ai jamais douté de ta réussite, mais je suis impressionnée par tes bons résultats. »

" *You really deserve it. You've worked so hard.*
Voilà un succès bien mérité. Tu as travaillé si dur ! »

" *We've been thinking about you all week, but didn't like to phone.*
Nous avons pensé à toi toute la semaine mais nous avons préféré ne pas téléphoner. »

" *We were so glad to hear that the birth was straightforward, and that mum and baby are doing well.*
Nous avons été très contents d'apprendre que la naissance s'est bien passée, et que la maman et le bébé se portent bien. »

5. E-mails de félicitations

Dans un e-mail, le message est en général plus court et familier. L'introduction sera directe.

18

Just heard your news. That's brilliant!
Je viens d'apprendre la bonne nouvelle. Super !

Well done! You did it!
Félicitations ! C'est dans la poche !

Nice one!
Bravo !

You clever thing! Well done!
Quelle tête ! Félicitations !

Great to hear about the baby.
Félicitations pour le nouveau bébé.

On pourra compléter d'un bref commentaire :

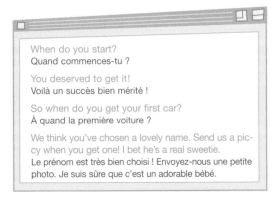

When do you start?
Quand commences-tu ?

You deserved to get it!
Voilà un succès bien mérité !

So when do you get your first car?
À quand la première voiture ?

We think you've chosen a lovely name. Send us a piccy when you get one! I bet he's a real sweetie.
Le prénom est très bien choisi ! Envoyez-nous une petite photo. Je suis sûre que c'est un adorable bébé.

⚠️ **Le mot** *'piccy'* **est un terme diminutif pour** *'picture'* **(« photo »).**

Exemple d'e-mail de félicitations pour une naissance

Hi there you two!
Congratulations on the fantastic news! We saw the photos on the Internet, and he looks an absolute sweetie. Hope the birth wasn't too long, and that Judith is well. Can't wait to see you, and meet baby Jack.
In the meantime, take care, all of you.
Lots of love
Kate and Malcolm

Salut vous deux !
Félicitations pour la grande nouvelle ! Nous avons regardé les photos sur Internet et il a l'air absolument adorable. Nous espérons que l'accouchement n'a pas été trop long et que Judith va bien. Nous avons hâte de vous voir et de faire la connaissance du petit Jack.
D'ici là, prenez bien soin de vous.
Bises.
Kate et Malcom

Testez vos connaissances

✎ I. Complétez avec la préposition qui convient :

1. Thank you very much........................ the beautiful vase you gave us.

2. How clever ....you to know how much I like Cole Porter

3. Looking forward .... seeing you all in Scotland in July.

4. Just a quick note to say congratulations .... doing so well in your exams.

✎ II. Complétez le texte suivant :

1. Hi there you two!
   ....on the fantastic news! We saw the photos on the .... , and he looks an absolute sweetie. Hope the .... wasn't too long, and that Judith is well.
   Can't wait to see you, and meet baby Jack.
   In the .... , take care, all of you.

Réponses :

I. for - of - to - on
II. congratulations - Internet - birth - meantime

1. Les vœux

Souhaiter son anniversaire à un ami

L'usage le plus répandu pour souhaiter un bon anniversaire à quelqu'un est de lui envoyer une carte. Certaines cartes sont déjà imprimées avec une formule telle que « *Bon Anniversaire* ». Dans ce cas, vous pouvez commencer votre carte par *'Dear Katie'* ou *'To dear Katie'* (« *Ma chère Katie* »).

Au-dessous de la formule imprimée, vous pouvez écrire :

" *From John*
De la part de John »

" *Love from John*
Bises, John »

" *Lots of love from John*
Grosses bises, John »

Pour personnaliser votre carte, vous pourrez ajouter une phrase simple du type :

" *Hope you have a wonderful day.*
Je te souhaite de passer une excellente journée d'anniversaire. »

" *Looking forward to seeing you at the party!*
En attendant de se voir à ta fête ! »

⚠ **Les expressions *'love'* (« bises »), et *'lots of love'* (« grosses bises ») sont réservées aux amis et aux membres de la famille. Il est de pratique courante, quand on écrit à un ami proche ou à un membre de sa famille, d'ajouter quelques baisers à la suite de la formule de salutation. Ceux-ci sont représentés par des petites croix (*'xxx'*). En règle générale, on choisit d'en mettre deux ou trois.**

Vœux plus formels

Si vous devez vous exprimer de manière plus formelle, le texte suivant conviendra pour vous montrer poli :

« *Dear Sandra,*
Wishing you a very happy birthday.
With best wishes,
Jane

Chère Sandra,
Je vous souhaite un très bon anniversaire.
Bien à vous,
Jane »

Il est moins courant d'envoyer une lettre pour un anniversaire mais si vous décidez de joindre une lettre à votre carte, vous pouvez réitérer vos vœux en conclusion :

« *I hope you have a wonderful day on the 27th, and that all your wishes for the coming year may come true.*

J'espère que tu passeras une excellente journée le 27 et que l'année à venir t'apportera tout ce que tu désires. »

Vœux de fin d'année

Les cartes de fin d'année se présentent avec des vœux imprimés du type *'Merry/Happy Christmas'* ou *'Merry Christmas and a Happy New Year'* (« Joyeux Noël et Bonne Année »).

Envoyer ses vœux par e-mail

Hi Fiona!
Just realised it's your birthday today.
Oops! Sorry I forgot to put your card in the post. Hope you have a great day. Make sure you get spoilt rotten.
See you soon
Lots of love
Lesley

Bonjour Fiona, Je viens de me souvenir que c'est aujourd'hui ton anniversaire ! Désolée, j'ai oublié de t'envoyer une carte.
Je te souhaite une excellente journée d'anniversaire et j'espère que tu seras gâtée.
À bientôt,
Gros bisous,
Lesley

REMARQUE

La tradition veut qu'on souhaite un joyeux Noël, et par la même occasion, une bonne année, à tous ses proches, collègues et relations. Les Britanniques, tout comme les Américains, n'attendent pas le mois de janvier pour envoyer leurs vœux. Notez qu'en Grande-Bretagne et aux États-unis, pays majoritairement protestants, on ne souhaite pas les fêtes du calendrier catholique. Par contre la Saint-Valentin est une fête importante à ne pas manquer si vous ne voulez pas vous brouiller avec l'élu(e) de votre cœur ! Aux États-Unis, on envoie même des cartes de Saint-Valentin à ses meilleurs amis.« *Bonne fête de Saint-Valentin* » se dit *'Happy Valentine'*.

2. Vœux de guérison

Le ton de la lettre ou de la carte dépendra de la nature de la relation qui vous lie à la personne à laquelle vous écrivez et aussi, bien sûr, de la gravité de la maladie. Voici quelques phrases courantes que vous pouvez utiliser après une formule d'appel du type *'To dear Harriet'* (« *Ma chère Harriet* ») :

" *Hoping you get well very soon.*
En espérant que tu seras vite remise. »

" *Wishing you a speedy recovery.*
Dans l'espoir d'une prompte guérison. »

" *Sorry to hear you're not well. We're thinking of you.*
Nous avons été navrés d'apprendre que tu n'allais pas bien. Nous pensons bien à toi. »

Un message de sympathie plus formel peut être l'occasion d'une lettre :

Dear Mrs Neave
I was very sorry to hear of your husband's sudden illness.
Please accept my sympathies and give him my best wishes for a speedy recovery.
Yours sincerely

Mary Fawkes

Chère Mme Neave,
J'ai été désolée d'apprendre que votre mari était souffrant.
Recevez toute ma sympathie et présentez-lui tous mes vœux de guérison.
Cordialement,

Mary Fawkes

3. Les invitations

Invitations amicales

Une invitation classique se présente sous la forme d'un carton imprimé. On y indique le nom de la personne invitée, la date, l'heure et le lieu de l'événement, ainsi que son propre nom :

Dear Brian
I'm having a party!
It's on the 21st August 2002
At 16 Fernhill Crescent, Redhill, Surrey and starts at 8pm.
Hope you can come!
Love

Susan
RSVP

Cher Brian,
Je fais une fête le 21 août 2002 au 16 Fernhill Crescent, Redhill, Surrey à partir de 20 heures. J'espère que tu pourras venir !
Amitiés,

Susan

RSVP

⚠ **Les initiales** *'RSVP'*, **du français** « *répondez s'il vous plaît* », **sont utilisées comme abréviation standard. Elles figurent sur toutes les invitations, formelles ou moins formelles.**

Invitations par e-mail

Si vous souhaitez inviter quelqu'un de façon plus personnelle, vous pouvez aussi le faire par e-mail :

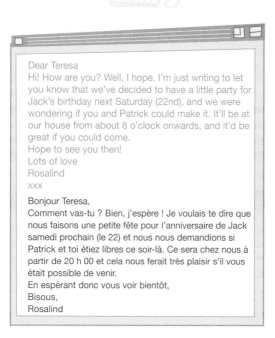

Dear Teresa
Hi! How are you? Well, I hope. I'm just writing to let you know that we've decided to have a little party for Jack's birthday next Saturday (22nd), and we were wondering if you and Patrick could make it. It'll be at our house from about 8 o'clock onwards, and it'd be great if you could come.
Hope to see you then!
Lots of love
Rosalind
xxx

Bonjour Teresa,
Comment vas-tu ? Bien, j'espère ! Je voulais te dire que nous faisons une petite fête pour l'anniversaire de Jack samedi prochain (le 22) et nous nous demandions si Patrick et toi étiez libres ce soir-là. Ce sera chez nous à partir de 20 h 00 et cela nous ferait très plaisir s'il vous était possible de venir.
En espérant donc vous voir bientôt,
Bisous,
Rosalind

Invitations formelles

Les invitations à un mariage sont toujours formelles et rédigées à la troisième personne du singulier ou du pluriel sur carton imprimé. Elles ne sont pas datées et ne portent ni formule d'appel ni salutations.

> *Mr and Mrs Derek Parkinson request the pleasure of your company*
> *at the marriage of their daughter Caroline to Christopher*
> *McDonald at Melrose Parish Church on Saturday 25th September*
> *at 2.30pm and afterwards at the reception at The Waverley Hotel,*
> *Melrose.*
> *RSVP*
> *Oakleigh*
>
> *Newton Road*
> *Melrose*
> *GS2 5HM*

M. et Mme Derek Parkinson ont le plaisir de vous inviter au mariage de leur fille Caroline et de Christopher McDonald. La cérémonie aura lieu à l'église paroissiale de Melrose le samedi 25 septembre à 14 h 30 et sera suivie d'une réception au Waverley Hotel.

RSVP

Répondre à une invitation

Il est naturel de répondre à une invitation en se conformant au style de l'invitation. S'il s'agit d'une fête entre amis, vous pouvez répondre par téléphone ou par e-mail :

Hi Susan
Thanks for the invite! I'd love to come. Is it OK if I bring Sue?
Will bring beers too.
Love
Brian
xxx

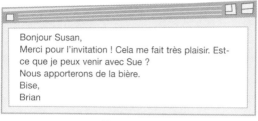

Bonjour Susan,
Merci pour l'invitation ! Cela me fait très plaisir. Est-ce que je peux venir avec Sue ?
Nous apporterons de la bière.
Bise,
Brian

Si vous répondez à une invitation très formelle, il est conseillé de répondre dans le même style et en respectant la même présentation :

> Ashgate House
> Dundas Terrace
> Edinburgh
> EH4 7JM
> 24 July 2002
>
> Mr and Mrs G Hardwick thank Mr and Mrs Parkinson for their kind invitation to their daughter's wedding, and to the reception afterwards. They have much pleasure in accepting.

> 24 juillet 2002
>
> M. et Mme Hardwick remercient M. et Mme Parkinson pour leur aimable invitation au mariage de leur fille Caroline et acceptent avec grand plaisir d'assister à la cérémonie et à la réception.

Dans un style moins formel :

> Dear Mr and Mrs Parkinson
> Thank you very much for your kind invitation to Caroline and Chris's
> wedding, and to the reception afterwards. We would love to come.
> We look forward to meeting you on the 25th.
> Kind regards
>
> Alison and George Hardwick
>
> Chers M. et Mme Parkinson,
> Nous vous remercions beaucoup pour votre invitation au mariage de Chris
> et Caroline. Nous acceptons avec grand plaisir.
> En attendant de vous voir le 25.
> Meilleurs sentiments,
>
> Alison et George Hardwick

Refuser une invitation

Il est courant de refuser une invitation par lettre ou par
e-mail. Vous pouvez aussi téléphoner pour vous excuser. Par lettre, on remercie d'abord la personne avant
d'exprimer ses regrets et d'en donner la raison :

> Dear Rosalind
> Thanks ever so much for the invitation to Jack's party, but I'm afraid I won't
> be able to make it. It's my parents' 40th wedding anniversary, and we're all
> going out for a meal that evening. What a shame!
> Sorry again, I hope you all have a great time.
> Love
>
> Teresa
> xxx
>
> Chère Rosalind,
> Merci pour ton invitation à l'anniversaire de Jack. Malheureusement,
> je ne pourrai pas venir ; mes parents fêtent leur 40e anniversaire de
> mariage et nous sommes invités au restaurant ce soir-là. C'est bien
> dommage !
> Encore une fois, j'en suis désolée mais j'espère que vous passerez une très
> bonne soirée.
> Bises,
>
> Teresa

Dans le cas d'une invitation officielle, à un mariage par exemple, il est recommandé d'utiliser le même style formel que sur la carte :

> Mr and Mrs G Hardwick thank Mr and Mrs Parkinson for their kind invitation to their daughter's wedding, and to the reception afterwards, but regret that a prior engagement prevents them from attending.
>
> M. et Mme Hardwick remercient M. et Mme Parkinson pour leur aimable invitation au mariage de leur fille Caroline et à la réception. Ils ne pourront malheureusement pas assister à la cérémonie en raison d'un autre engagement.

29

Un style un peu moins formel est acceptable :

> Dear Mr and Mrs Parkinson
> Thank you so much for the kind invitation to Caroline and Chris's wedding, and to the reception afterwards.
> Unfortunately, we will not be able to come, as we have a prior engagement. We are so sorry to have to miss the wedding, but hope you all have a wonderful day.
> We wish every happiness to Caroline and Chris.
> Kind regards
>
> Alison and George Hardwick

> Chers M. et Mme Parkinson,
> Nous vous remercions pour votre aimable invitation au mariage de Caroline et Chris.
> Malheureusement, nous ne sommes pas libres ce jour-là. Nous sommes navrés de ne pouvoir être présents mais vous souhaitons une merveilleuse journée et adressons tous nos vœux de bonheur à Caroline et Chris.
> Meilleurs sentiments,
>
> Alison et Georges Hardwick

REMARQUE

En résumé, n'oubliez pas dans votre invitation de mentionner l'heure, la date, le lieu et la raison de l'invitation. La personne qui vous invite attend de vous une réponse que vous rédigerez dans un style semblable à celui de l'invitation. Même lorsqu'il s'agit d'amis, il est toujours poli de répondre par écrit, dans un style moins formel cette fois.

4. Rendez-vous

Rencontre amicale

Les rendez-vous entre amis se font presque toujours par téléphone ou par e-mail. En plus du jour, de l'heure et du lieu de rendez-vous, on se met généralement d'accord sur une activité particulière et on fait des suggestions dans ce sens. Voici quelques expressions utiles :

" *What about ten o'clock?*
10 heures, c'est possible ? »

" *How about going to the cinema?*
Est-ce que ça te dit d'aller au cinéma ? »

" *Why don't we eat out tonight?*
Et si on allait au restaurant ce soir ? »

" *Let's have a coffee before we go home.*
Que dirais-tu d'un café avant de rentrer ? »

" *I suggest we meet up after the show.*
Et si on se retrouvait après le spectacle ? »

" *Shall we just stay in and watch TV?*
D'accord pour rester à la maison ce soir et se faire une soirée télé ? »

⚠ **L'expression** *'I suggest'* **(« *je propose* ») est toujours suivie d'une subordonnée** *'I suggest we meet up around*

8 pm' (**« Je propose qu'on se retrouve vers 20 heures »**),
et non d'un complément d'objet direct. Notez qu'il n'est
pas nécessaire d'ajouter le pronom relatif *'that'* car celui-
ci est déjà sous-entendu : *'I suggest we have a drink'* (**« je
propose que nous allions prendre un verre »**).

Rendez-vous d'affaires

Il est également courant d'organiser ses rendez-vous
d'affaires par e-mail. Dans ce cas, le ton du message sera
bien sûr plus formel :

31

Dear Andrew
I've been looking at this month's sales figures, and I was
wondering if we could meet some time this week to
discuss them. I'm free on Wednesday afternoon, from
2pm onwards. Does this suit you?
I suggest we meet in the meeting room on the third floor.
Let me know if this is convenient.
George

Bonjour Andrew,
J'ai consulté le chiffre d'affaires de ce mois-ci et je me
demandais si nous pourrions nous rencontrer cette se-
maine pour en discuter. Je suis libre mercredi après-midi
à partir de 14 heures. Cela vous convient-il ?
Je propose la salle de réunion au troisième étage.
Dites-moi si c'est possible.
George

S'il s'agit d'une réunion importante et que vous envoyez un courrier, une lettre imprimée est bien sûr de rigueur :

Application for post of textile designer
Dear Ms Denholm
Thank you for your application for the above post. We would be to meet with you on 4 October 2002 at 3pm. Directions to our offices are enclosed. Please let us know by return of post if you are able to attend. We look forward to meeting you on the 4th.
Yours sincerely

Harry Fielding
Director

Candidature au poste de designer textile
Chère Mme Denholm,
Nous vous remercions pour votre candidature au poste mentionné ci-dessus. Nous serions ravis de vous rencontrer pour un entretien le 4 octobre 2002 à 15 heures. Vous trouverez ci-joint des indications pour vous rendre à nos bureaux. Nous vous prions de bien vouloir nous faire savoir par retour de courrier si vous êtes disponible ce jour-là.
Dans l'attente de vous rencontrer le 4, nous vous prions d'accepter nos cordiales salutations,

Harry Fieldind
Directeur

Testez vos connaissances

✍ I. Choisissez les bonnes réponses :

1. *Quelle est la formule de salutation qui convient le mieux pour une carte d'anniversaire à un ami ?*
   (a) *Kindest regards*
   (b) *Yours sincerely*
   (c) *Love*

2. *Quel moment de l'année est le plus approprié pour l'envoi d'une carte de vœux ?*
   (a) *Pour les fêtes du calendrier*
   (b) *Au Nouvel an*
   (c) *À Noël*

3. *À quelle personne rédige-t-on une invitation de mariage ?*
   (a) *À la première personne du singulier*
   (b) *À la deuxième personne du pluriel*
   (c) *À la troisième personne du singulier ou du pluriel*

✍ II. Mettez les phrases dans le bon ordre. Seule la première est exacte :

1. *Hi Jackie!*
2. *Hope you can make it.*
3. *Shall we meet up for a coffee after college tomorrow?*
4. *Long time no see!*
5. *How about 5pm in the City Café?*

Réponses :

I. *1c - 2c - 3c* **II.** *1 - 4 - 3 - 5 - 2*

33

1. Réservation d'une chambre d'hôtel

Les réservations de chambres d'hôtel se font par téléphone ou par l'intermédiaire d'une agence de voyages. Si vous ne vous sentez pas suffisamment sûr de vous pour soutenir une conversation téléphonique en anglais, vous pouvez choisir de communiquer par e-mail. Il est de toute façon recommandé d'envoyer un e-mail ou une lettre de confirmation.

> " *I would like to reserve a double room with en suite facilities.*
> *Je voudrais réserver une chambre pour deux personnes avec salle de bains.* »

> " *I would like to reserve a single room with sea view.*
> *Je voudrais réserver une chambre pour une personne avec vue sur la mer.* »

> " *We require a twin room situated on the ground floor.*
> *Nous voudrions une chambre à deux lits au rez-de-chaussée.* »

> " *We require a family room for three nights from 4 to 6 November inclusive.*
> *Nous voudrions une chambre pour quatre personnes pour trois nuits du 4 au 6 novembre inclus.* »

> " *I would like to know the rates for bed and breakfast for three nights.*
> *J'aimerais connaître le prix d'un bed and breakfast pour trois nuits.* »

⚠ **Une** '*family room*' **(« *chambre pour quatre personnes* »), est généralement une chambre avec un lit de deux personnes, un lit d'une personne et un lit**

de bébé déjà installé ou qui peut être ajouté à la demande du client. Les *'bed and breakfast'* **ou** *'B&B'*, **moins chers que les hôtels, sont l'équivalent des chambres d'hôtes et ont l'avantage d'offrir aux touristes une ambiance plus familiale que les hôtels.**

Voici un modèle de lettre de réservation :

Dear Sir/Madam
My wife and I are planning to travel round the Cotswolds in July,
and if possible, we would like to reserve a double room for three
nights from 13 to 15 July inclusive. Ideally, we would prefer a room
with an en suite bathroom. Since my wife has difficulty climbing
stairs, we will need a room situated either on the ground floor, or
near a lift.
Could you please let me know your room availability and rates with
breakfast?
I look forward to hearing from you soon.
Yours faithfully

Patrick Hellier

Madame, Monsieur,
*   Ma femme et moi avons l'intention de faire un circuit dans les*
Cotswolds en juillet, et nous souhaiterions réserver une chambre de deux
personnes pour trois nuits du 13 au 15 juillet inclus. Nous préférerions une
chambre avec salle de bains. Ma femme ayant des difficultés à monter les
escaliers, nous aimerions avoir une chambre au rez-de-chaussée ou située
près d'un ascenseur.
*   Pouvez-vous s'il vous plaît m'indiquer si vous avez des chambres libres et à*
quel prix avec petit déjeuner ?
*   Dans l'attente d'une réponse de votre part, recevez mes meilleures*
salutations,

Patrick Hellier

Dear Mrs Everston
This is to confirm the telephone booking I made on 20 May 2002.
I require a single room with sea view and en suite shower from 3 to
4 June inclusive. The all-inclusive price for bed and breakfast for two
nights, with dinner on the evening of 3 June will be £105, as agreed.
Please find enclosed a check for £40 as deposit.
Yours sincerely

Jackie Frampton

Chère Mme Everston,
    Je vous écris pour confirmer la réservation par téléphone faite le
20 mai 2002. Je voudrais une chambre d'une personne avec douche et vue
sur la mer du 3 au 4 juin inclus. Nous avons convenu d'un montant total
de 105 £ pour la chambre avec petit déjeuner plus un repas du soir le
3 juin. Vous trouverez ci-joint un chèque de 40 £ d'acompte.
    Meilleures salutations,

                                                    Jackie Frampton

2. Écrire à un office de tourisme

Voici quelques expressions utiles si vous écrivez à un office de tourisme pour obtenir des informations concernant une région que vous désirez visiter :

" I shall be touring around the Highlands of Scotland
from 1 to the 15 August. I was wondering if you
could send me some information on local events
and places of interest in the area.
Je compte faire un circuit de deux semaines dans les
Highlands pendant mon séjour en Écosse, du 1er au
15 août. Vous serait-il possible de m'envoyer des informations sur les événements intéressants ainsi que sur
les lieux à visiter dans cette région. »

" I would be very grateful if you would forward details of interesting places to visit in your area.
Je vous serais reconnaissant de bien vouloir m'envoyer
des informations sur les endroits à visiter dans votre
région. »

" Could you please send me a list of hotels situated in the vicinity of St. Mary's Church, Wilmslow?
Auriez-vous l'obligeance de bien vouloir m'envoyer la liste des hôtels situés à proximité de l'église St. Mary à Wilmslow ? »

" I would be most grateful if you could send me a plan of the Old Town together with a timetable for ferries to the islands.
Je vous serais reconnaissant de m'envoyer un plan de la vieille ville ainsi que les horaires des ferries en direction des îles. »

" Thanking you in advance,
Lesly Norton
En vous remerciant par avance,
Lesly Norton »

3. Séjourner dans une famille d'accueil

Si vous optez pour cette expérience, envoyez une lettre ou un e-mail afin de vous présenter à votre famille d'accueil dès que vous connaîtrez ses coordonnées. Vous pourrez lui exposer qui vous êtes, manifester votre intérêt pour la famille, et poser des questions au sujet de ses différents membres.

" I have just received your details from Centerlangs, and I am writing to let you know a little about myself.
Centerlangs vient de m'envoyer vos coordonnées et je vous écris pour vous donner quelques informations à mon sujet. »

" My name is Daniel, but most people call me Danny.
Je m'appelle Daniel mais tout le monde m'appelle Danny. »

" I live in the Massif Central, a range of volcanic mountains in central France.
J'habite dans le Massif central, une région d'anciens volcans dans le centre de la France. »

" I'm married with two children, aged 3 and 5.
Je suis marié et j'ai deux enfants de 3 et 5 ans. »

" *When I'm not working, I enjoy going to the cinema, walking in the mountains and reading.*
Quand je ne travaille pas, j'aime aller au cinéma, faire de la marche en montagne et lire. »

" *Do you have any pets?*
Est-ce que vous avez des animaux ? »

" *Have you always lived in Eastbourne?*
Avez-vous toujours habité à Eastbourne ? »

" *Looking forward to meeting you all in July!*
En attendant de vous rencontrer en juillet ! »

4. Réclamations au sujet d'un logement de vacances

Si vous souhaitez vous plaindre, il est préférable d'envoyer une lettre. Vous trouverez ci-dessous des tournures qui vous aideront à composer votre lettre :

" *I wish to complain about the holiday from which I have just returned.*
Je voudrais exprimer mon mécontentement à propos des vacances que je viens de passer. »

" *At the time of booking it was agreed that we would have use of the local leisure club.*
Quand nous avons fait notre réservation, il avait été clairement établi que nous aurions accès au club de loisirs local. »

" *However, on our arrival, we discovered that we were obliged to pay for all sports facilities.*
Cependant, nous avons eu la mauvaise surprise à notre arrivée de constater que nous devions payer pour tous les équipements sportifs. »

" *The standard of accommodation that we were forced to accept severely marred the enjoyment of our holiday.*
La mauvaise qualité du logement que nous avons été contraints d'accepter nous a empêchés de profiter de nos vacances. »

" Under the terms of your guarantee, I would like to request a full reimbursement of the amount paid.
En accord avec les termes de votre garantie, je vous réclame le remboursement intégral de la somme versée. »

" I look forward to receiving, in the next 14 days, a reasonable offer of compensation.
J'espère recevoir sous quinzaine une offre de dédommagement raisonnable. »

40

220 Streatham High Road
London
SE23 5GN
3 August 2002

Cherrytrees Cottage, Keswick,
reference number HC1093

Dear Sir or Madam

I am writing to complain about the standard of accommodation at the holiday cottage I booked through your company.

At the time of booking, I stipulated that we required a three-bedroomed cottage with two bathrooms, a kitchen and living room. The brochure states that the kitchen is fully equipped with cooker, fridge freezer, microwave and dishwasher. However, on our arrival, we discovered that the third bed consisted of a sofabed in the living room. Moreover, the kitchen, which had not been cleaned, contained no microwave and no dishwasher.

We complained immediately to your agent, who told us only that there must have been a mistake.

The standard of accommodation that we were forced to accept severely marred the enjoyment of our

holiday, and so, under the terms of your guarantee,
I would like to request compensation.

I look forward to receiving a reasonable offer within
the next 14 days.

Yours faithfully

Brian Metcalf

---

3 août 2002

Cherrytrees Cottage, Keswick,
référence : HC 1093

Madame, Monsieur,

41

Je vous écris pour me plaindre de la mauvaise qualité du logement de vacances que j'ai réservé par votre intermédiaire.

Au moment de la réservation, j'avais précisé que nous désirions une maison de trois chambres avec deux salles de bains, une cuisine et un séjour. La brochure décrivait une cuisine équipée de tout le confort moderne avec cuisinière, réfrigérateur avec compartiment freezer, micro-ondes et lave-vaisselle. Cependant, à notre arrivée, nous avons eu la mauvaise surprise de constater que le troisième lit n'était qu'un canapé-lit dans le séjour. De plus, la cuisine, qui n'avait pas été nettoyée, ne possédait ni micro-ondes ni lave-vaisselle.

Nous nous sommes plaints immédiatement auprès de votre agent qui s'est contenté de nous répondre qu'il devait y avoir eu une erreur.

L'état du logement que nous avons été contraints d'accepter nous a empêchés de profiter de nos vacances.

C'est pourquoi, en accord avec les termes de votre garantie, je vous demande des dédommagements. J'espère recevoir, sous quinzaine, une offre raisonnable de compensation.

Recevez Madame, Monsieur, mes sincères salutations.

Brian Metcalf

Testez vos connaissances

🖉 I. Complétez les phrases ci-dessous avec le bon verbe :

1. I would like to .... a double room with en suite facilities.

2. This is to .... the telephone booking I made on of 20 May 2002.

3. I wish to .... about the holiday from which I have just returned.

🖉 II. Complétez le texte suivant :

1. My wife and I are .... to travel round the Cotswolds in July. We would like to reserve a double room for three nights from 13 to 15 July .... Ideally, we would prefer a room with an .... bathroom.

Réponses :

I. reserve - confirm - complain
II. planning - inclusive - en suite

Déménagements et inscriptions

1. Prévenir les autorités locales

Si vous changez de pays, vous aurez très certainement un grand nombre de formulaires à remplir. Les termes les plus courants vous sont présentés ci-dessous et dans le modèle qui suit :

" *first name/christian name/forename(s)*
prénom(s) »

" *title (Miss, Ms, Mr, Dr)*
titre (Mademoiselle, Madame, Monsieur, Docteur) »

" *full name*
nom de famille »

" *date of birth*
date de naissance »

" *marital status (single, married, widowed, divorced, separated)*
situation de famille (célibataire, marié, veuf, divorcé, séparé) »

" *occupation*
profession »

Surname (Mr/Mrs/Miss/Ms/Prof/Dr) _____

First name _____

Address _____

Tel n° _____

Fax n° _____

Email address _____

Date of birth _____

National insurance number _____

When did you arrive in the UK? _____ / _____ / _____

(day/month/year)

Do you intend to stay permanently in the UK? _____

Are you single, widowed, married or divorced? _____

What was your address before moving to the UK? _____
Country _____
Declaration _____
The information that I have given in this form is correct and
complete to the best of my knowledge and belief.
Signature _____
Date _____

Nom (M., Mme, Mlle) ....
Prénom ....
Adresse ....
Tél. ....
Fax ....
Date de naissance ....
Numéro de Sécurité sociale ....
Date d'arrivée au Royaume-Uni .... (jour/mois/année)
Comptez-vous résider de manière permanente dans ce pays ?
....
Êtes-vous célibataire, veuf (veuve), marié(e) ou divorcé(e) ?
....
Lieu de résidence avant l'arrivée au Royaume-Uni :
....
Pays ....
Déclaration
Je soussigné(e), reconnais l'exactitude des informations ci-
dessus,
Signature ....
Date ....

44

⚠ **L'expression** *'christian name'* **(«** *nom de baptême* **»)
est peu utilisée de nos jours. Le titre** *'Ms'* **(prononcez**
*'Miz'***) a été créé comme terme générique englobant**
'Miss' **et** *'Mrs'***, afin d'éviter toute distinction discrimina-
toire. Ce titre est également utile lorsqu'on ne connaît
pas le statut marital d'un correspondant féminin.**

64 Laurel Way
Kingston-upon-Thames
Surrey
KT4 5PS

Director of Finances
Payments Department
Kingston Town Council
Kingston-upon-Thames
KT1 4DS

6 August 2002

Change of address.
Council tax account number: 240000891

Dear Sir or Madam

I am writing to inform you that as from 23 August 2002 I shall no longer be resident at the above address. My new address, from 24 August 2002 will be:

56 High Cross Avenue

Hawsley

West Sussex

BN44 8HJ

I have notified Brighton and Hove Council of my arrival. I would be grateful if you could calculate any reimbursement that I may be due on my August payment, and request that it be paid to me, by cheque, sent to my new address.
Thank you very much.
Yours faithfully
Olivia Coldwell

6 août 2002

Changement d'adresse

Madame, Monsieur,

Je vous informe que je ne résiderai plus à l'adresse ci-dessus à partir du 23 août 2002. À dater du 24 août 2002 ma nouvelle adresse sera la suivante :

56 High Cross Avenue

Hawsley

West Sussex

BN44 8 HJ

J'en ai déjà informé la municipalité de Brighton and Hove. Je vous serais reconnaissante de bien vouloir faire le solde de mon compte et de me faire parvenir le remboursement de tout paiement excédentaire concernant le mois d'août par chèque, à ma nouvelle adresse.

Avec tous mes remerciements,

Olivia Coldwell

En Grande-Bretagne, il n'est pas nécessaire d'informer la police de votre changement d'adresse, mais vous devez le notifier à la municipalité dans laquelle vous payez la *'council tax'* (« *impôts locaux* »). Vous devez aussi préciser la date de votre déménagement ainsi que votre nouvelle adresse. Dans toute correspondance avec des organismes publics, n'oubliez pas d'indiquer tout numéro de référence permettant de vous identifier rapidement.

Inscrire un enfant dans une crèche

En Grande-Bretagne, les crèches municipales n'existent pas et vous devrez vous adresser à des crèches privées dont les prix sont généralement plus élevés qu'en France. Il est conseillé d'inscrire votre enfant aussi tôt que possible, voire avant sa naissance, car les listes d'attente peuvent être longues.

Dear Mrs Williamson

Thank you so much for taking the time to show us round your lovely nursery yesterday afternoon. We were most impressed with the facilities and the staff, as well as the warm, friendly atmosphere you have created. We would therefore be delighted if a place could be kept for Katy, starting from 1st September 2002.

As discussed, we would require nursery care three days a week, preferably Monday, Tuesday and Wednesday, from 8.30am to 5.30pm.

We would be grateful if you could confirm before the end of August. We look forward to seeing you again after the move.

Yours sincerely

Chris and Sue MacKinnon

Chère Mme Williamson,

Nous vous remercions de nous avoir fait visiter votre charmante crèche hier après-midi. Nous avons été favorablement impressionnés par les locaux, le matériel, le personnel et l'atmosphère chaleureuse que vous avez su créer. Nous serions très heureux de pouvoir inscrire Katy à partir du 1er septembre 2002.

Comme nous vous en avons informé, nous souhaiterions l'inscrire trois jours par semaine, de préférence les lundis, mardis et mercredis de 8 h 30 à 17 h 30.

Nous vous serions reconnaissants de nous confirmer son inscription avant la fin août.

En attendant de vous revoir après notre déménagement, nous vous prions d'accepter nos sincères salutations,

Chris et Sue MacKinnon

Informer d'un changement d'école

En Grande-Bretagne, l'école est obligatoire jusqu'à seize ans et vous devez donc informer les établissements scolaires de vos enfants de tout changement d'adresse.

47

Dear Mrs Hazelmere

I am writing to inform you that our son, Patrice, will be leaving Solihull High at the end of the summer term, due to our return to France. Patrice will be going back to his former school in Bordeaux after a very exciting and valuable year in the UK.

Thank you so much for all the support you and your staff have given him during his time with you.

I know he will miss you all.

Yours sincerely

Georges and Alice Berrault

Chère Mme Hazelmere,

Je vous écris pour vous annoncer que notre fils Patrice quittera Solihull High à la fin du troisième trimestre. Patrice retourne en effet dans son école de Bordeaux après cette année passionnante et très enrichissante passée en Grande-Bretagne. Nous vous remercions pour votre soutien et celui de l'équipe enseignante.

Je sais que vous lui manquerez tous beaucoup.

Meilleurs sentiments,

Georges et Alice Berrault

48

REMARQUE

Si vous devez inscrire vos enfants dans une école britannique (ou dans un autre pays anglophone), renseignez-vous à l'avance sur les rythmes scolaires, différents de ceux de la France et qui varient d'une région à l'autre. Ainsi, en Angleterre, les vacances d'été ne commencent qu'à la mi-juillet et durent environ six semaines. La rentrée a donc lieu début septembre. Par contre, en Écosse, les écoles ferment fin juin et la rentrée a lieu aux alentours du 15 août.

2. Banques et assurances

Faire une déclaration à une compagnie d'assurances

Si vous devez faire une déclaration de perte, de vol ou d'accident, vous recevrez probablement un formulaire à remplir. Il vous sera demandé de décrire les circonstances de l'incident. Dans les exemples ci-dessous, vous remarquerez que la forme progressive est employée pour décrire la situation tandis que le prétérit simple est utilisé pour raconter les événements eux-mêmes.

I was travelling on the London Underground when some young boys distracted me. One of them must have taken my wallet.
J'étais dans le métro à Londres quand de jeunes garçons ont accaparé mon attention. Un jeune de leur bande en a profité pour me voler mon portefeuille. »

I was having lunch in a restaurant when someone snatched my handbag.
Je déjeunais dans un restaurant quand quelqu'un s'est emparé de mon sac à main. »

I left my briefcase on a bus in Bristol.
J'ai oublié mon porte-documents dans un bus à Bristol. »

I was reversing out of my driveway when the Toyota came round the corner so fast that I was unable to stop.
Je sortais de chez moi en marche arrière quand la Toyota a surgi du coin de la rue à une vitesse telle que je n'ai pas pu freiner à temps. »

I was waiting to turn right at a T-junction when a car approaching behind me failed to stop. The collision caused a large dent in the back of my car.
Je tournais à gauche à un croisement quand une voiture qui me suivait m'a embouti et a endommagé l'arrière de mon véhicule. »

I skidded on a patch of ice and lost control of the car.
J'ai dérapé sur une plaque de verglas et ai perdu le contrôle de mon véhicule. »

" *I was overtaking a van on my motorcycle when it started to pull out.*
Je doublais une camionnette en moto quand le conducteur a déboîté sans prévenir. »

Perte ou vol de carte bleue ou de chéquier

I am writing to confirm our telephone call of this morning, in which I informed you of the loss of my credit card number 0294 5678 9875 609. I first noticed that it was no longer in my wallet this morning. I last used it on Thursday 16 May to buy books in Bookworm.

Suite à mon appel téléphonique de ce matin, je vous écris pour confirmer la perte de ma carte de crédit numéro 0294 5678 9875 609. J'ai remarqué ce matin qu'elle n'était plus dans mon portefeuille. Je l'ai utilisée pour la dernière fois jeudi 16 mai pour acheter des livres chez Bookworm.

Testez vos connaissances

I. Complétez les phrases suivantes en utilisant le verbe et la conjugaison appropriés :

1. *I am writing to .... you that as from 23 August 2002, I shall no longer be resident at the above address.*

2. *We would be grateful if you could .... before the end of August.*

3. *I was .... out of my driveway when the car came round the corner so fast that it was unable to stop.*

4. *I first .... that it was no longer in my wallet this morning.*

II. Complétez le texte :

1. *I am writing to .... you that as from 23 August 2002, I shall no longer be .... at the above address. My new address, from 24 August 2002 will be: 56 High Cross Avenue Hawsley West Sussex BN44 8HJ. I have .... Brighton and Hove Council of my ....*

Réponses :

I. *inform - confirm - reversing - noticed*
II. *inform - resident - notified - arrival*

51

1. Généralités

Le ton d'une lettre d'affaires ou d'un e-mail profession-
nel est en général conventionnel. Le texte doit être
court, précis et courtois. La plupart des entreprises
commerciales utilisant du papier à en-tête, vous n'aurez
besoin d'ajouter que le nom et l'adresse de votre correspondant. Ceux-ci doivent être placés à gauche. Une
lettre commerciale commencera souvent par une référence, introduite par l'expression : *'Our reference'* ou
'Our ref'. Dans votre réponse, n'oubliez pas de mentionner à votre tour *'Your reference'* ou *'Your ref'*. Si
vous joignez des documents, vous pouvez inscrire
l'abréviation *'Encl.'* sous votre signature au bas de la
lettre. *'Encl.'* est l'abréviation d'*'enclosure(s)'*, qui signifie « *pièce(s) jointe(s)* ». Si vous avez déjà mentionné les
documents dans votre lettre, *'Encl.'* peut s'employer
seul. Sinon, faites-la suivre de la liste détaillée des
pièces jointes.

2. Demande de renseignements

Une demande de renseignements simple peut se faire par
e-mail :

« *Further to your advertisement in this month's edition of 'Computer Monthly', I am writing to request
a brochure on your laptops.*
Suite à votre publicité dans le dernier numéro de "Computer Monthly", je vous demande de bien vouloir m'envoyer votre brochure sur vos ordinateurs portables. »

" *I have seen your advertisement in the 'Southern Reporter' and I would be grateful for some further details about your services.*
J'ai vu votre publicité dans le "Southern Reporter" et j'aimerais recevoir davantage d'informations sur vos services. »

" *I would also be grateful if you could let me know what forms of payment you accept, and what your delivery policy is.*
J'aimerais aussi savoir quels types de paiement vous acceptez et avoir de plus amples renseignements concernant les modalités de livraison. »

Répondre à une demande de renseignements

Voici un exemple de lettre pouvant accompagner un envoi de brochure :

Dear Mr Fothergill
Further to your request for information regarding our laptops, please find enclosed a copy of our new brochure. We hope you will enjoy shopping with Aldis, and thank you for your interest in our company.
Yours sincerely
Angus McCabe

Cher Mr Fothergill,
    Suite à votre demande de renseignements sur nos ordinateurs portables, nous vous envoyons ci-joint notre nouvelle brochure. En espérant vous compter bientôt parmi notre clientèle Aldis, nous vous remercions de l'intérêt que vous portez à notre entreprise.
    Meilleures salutations,

Angus Mc Cabe

3. Lettre de réclamation

Une réclamation peut se faire par lettre ou par e-mail, en particulier lorsqu'il s'agit d'un rappel. Voici un exemple de rappel concernant un retard de livraison :

Dear Mr Kay

When looking through my records this morning I noticed that one of our orders for stationery products remains outstanding.

The reference number is AF124659.

Could you possibly let me know the status of the order? Thank you very much.

Kind regards

Jack Lyons

Cher M. Kay,

En consultant mes registres ce matin, je me suis aperçu que nous n'avions toujours pas reçu l'une de nos commandes de fournitures de bureaux. Le numéro de référence est AF124659.

Pourriez-vous me faire savoir où en est cette commande?

Avec mes remerciements,

Jack Lyons

55

Modèle de lettre de réclamation commerciale

Une réclamation grave doit comporter tous les détails se rapportant aux articles concernés – dates, délais et accords préalables – et exiger une réponse concrète :

Brightlings Housing Association
6 Bishop Street
Manchester
M2 5TP

The Customer Services Manager
Newtown Removals
Unit 7
Grafton Docks Road
Manchester
M14 8KD

1 July 2002

Invoice no. 4501283

Dear Sir

I am writing to express my dissatisfaction with the service my company received from your removals department on 26 June 2002.

I notified your company on 2 June that we planned to move offices on 24 June, but was informed only one week before this date that you would not be able to provide this service until the 26th.

As you might imagine, this change of plan caused a lot of worry and confusion amongst my staff.

On the day of the removal, we were surprised to see a small team of three young men, who were expected to pack and move our offices in one day.

Despite arriving as 8.30am, they were still with us at 7pm, by which time they, and we, were exhausted.

Finally, on unpacking the boxes in our new offices we found that the following items were broken: one computer monitor, a set of plant-pot holders, three picture frames.

Our insurance will, of course, cover these items, but the fact remains that they were packed hurriedly by a tired and overworked team.

I am witholding payment of the above invoice until I
have heard your response to the points outlined above.
Yours faithfully
Henry Hardcastle
Managing Director

1er juillet 2002

Facture n°. 4501283

Monsieur,

Je tiens à vous exprimer mon mécontentement concernant vos services de déménagement.

J'avais averti votre entreprise du déménagement de nos bureaux fixé à la date du 24 juin mais nous n'avons été informés qu'une semaine à l'avance que vous n'étiez pas libres avant le 26.

Comme vous pouvez vous en douter, ce changement de programme a passablement contrarié notre personnel.

Le jour du déménagement, nous avons eu la surprise de voir arriver une maigre équipe de trois jeunes hommes censés effectuer l'emballage et le déménagement en un seul jour.

Bien qu'ayant commencé dès 8 heures 30, ils étaient toujours au travail à 7 heures du soir, heure à laquelle vos employés tout comme mon personnel étaient complètement épuisés.

Finalement, au moment du déballage dans nos nouveaux bureaux, nous avons constaté que les objets suivants avaient été endommagés : un écran d'ordinateur, un ensemble de pots de fleurs et trois cadres.

Notre assurance couvrira bien entendu les frais mais il reste que ces objets ont été emballés à la hâte par une équipe surmenée.

57

Je me vois dans l'obligation de bloquer le règlement de la facture ci-dessus en attendant une réponse de votre part sur les points mentionnés ci-dessus.

Salutations distinguées,

Henry Hardcastle
Directeur

Répondre à une réclamation

Si vous devez répondre à une réclamation, il est important de rester objectif et de garder un ton poli tout au long de la lettre :

" *I was concerned to hear of your dissatisfaction with the service you received from our company.*
J'ai été désolé d'apprendre que vous n'étiez pas satisfait des services de notre société. »

" *I must apologise sincerely for the treatment you received.*
Je vous prie de bien vouloir accepter nos excuses pour la façon dont vous avez été traité. »

" *I am sorry to hear you were not satisfied with the service.*
Je suis navré d'apprendre que vous n'êtes pas satisfait de nos services. »

" *I apologise for the inconvenience this has caused you.*
Je vous prie de bien vouloir nous excuser pour le dérangement que cela vous a causé. »

" *I hope that you will accept a 10% discount on the total amount payable.*
J'espère que vous accepterez notre offre d'une remise de 10 % sur le montant global. »

" *I have already dispatched a replacement consignment to reach you by 3 August.*
J'ai expédié ce matin un lot de rechange qui devrait vous parvenir d'ici le 3 août. »

58

" *Please find attached a credit note to the value of £50, to be redeemed against any of our products.*
Vous trouverez ci-joint un bon de crédit de 50 £ valable sur tout produit acheté chez nous. »

" *I hope we will continue to enjoy your valued custom.*
J'espère que nous aurons le plaisir de continuer à vous compter parmi notre précieuse clientèle. »

Modèle de réponse à une réclamation

Newtown Removals
Unit 7
Grafton Docks Road
Manchester
M14 8KD
Tel: 0161 666 8900

Mr H Hardcastle
Managing Director
Brightlings Housing Association
6 Bishop Street
Manchester
M2 5TP

3 July 2002

Invoice no. 4501283

Dear Mr Hardcastle

Thank you for your letter of 1 July 2002, in which you express your dissatisfaction with the service your company received from us during your removal.

I am very concerned that if there is any question of unsatisfactory service, it be looked into immediately. I have spoken to the project manager involved.

He has confirmed that there was indeed a shortage of staff on the day in question.

59

The fourth member of the team was taken ill at such short notice that we were unable to find a replacement in time.

Regarding the point you make about the date of removal being changed one week before, I must draw your attention to our Policy Document, where you will see that confirmation of dates cannot be finalised until one week before the removal. Finally I must apologise sincerely for the breakages which you itemise.

I hope you will accept a 10% reduction on the total amount payable for the service.

I look forward to hearing your response.

Yours sincerely

Brian Campbell

Customer Services Manager

3 juillet 2002

Facture n°. 4501283

Cher M. Hardcastle,

Je vous remercie pour votre lettre du 1er juillet 2002 dans laquelle vous exprimez votre mécontentement quant à la qualité de nos services lors du déménagement de votre entreprise.

Sachez que je tiens absolument, si nos services ont été déficients, à ce que la question soit réglée sans délai et j'ai eu ce matin une conversation à ce sujet avec le responsable concerné.

Il a confirmé le manque de personnel ce jour-là, notre quatrième déménageur étant tombé subitement malade, le délai pour le remplacer était trop court.

En ce qui concerne le changement de date une semaine avant le déménagement, je désire attirer votre attention sur notre contrat dans lequel il est stipulé que la confirmation définitive d'une date ne peut avoir lieu qu'une semaine à l'avance.

Enfin, je vous prie de bien vouloir accepter nos excuses les plus sincères pour les objets endommagés que vous mentionnez.

J'espère que vous accepterez la réduction de 10 % que nous vous proposons sur le montant global du déménagement.

Sincères salutations,

Brian Campbell
Directeur du Service Clientèle

4. Passer une commande

Les commandes se font habituellement par téléphone mais l'envoi d'un e-mail est devenu très courant :

I would like to place an order for the following items:
Je voudrais commander les articles suivants :

Please find below a list of items for order:
Vous trouverez ci-dessous la liste des articles que je désire commander :

I would appreciate early notification of the planned delivery date.
Je vous serais reconnaissant de m'annoncer à l'avance la date prévue pour la livraison.

Since these items are required urgently, I would like to take up your offer of express delivery at an extra cost of £10.
Dans la mesure où nous avons un besoin urgent de ces articles, j'accepte votre offre de livraison rapide avec un supplément de 10 £.

5. Annuler une commande

Une annulation peut se faire par téléphone mais il n'est pas exclu qu'on vous demande de la confirmer par fax ou par courrier, une signature pouvant être nécessaire pour éviter des problèmes ultérieurs. Voici un exemple de fax envoyé après une annulation par téléphone :

To: Ms Katie Allen

From: Patricia Winthrop, Quickprint Company

Date: 23.07.02

Subject: Cancellation of order no. 23908

Dear Ms Allen

Further to our telephone conversation this morning, I would like to confirm cancellation of the above order, placed by my company on 19.07.02. I apologise for any inconvenience this may cause.

Regards

Patricia Winthrop

À : Mme Katie Allen

De : Patricia Winthrop, Quickprint Company

Date : 23 07 02

Objet : annulation de la commande n° 23908

Chère Mme Allen,

Suite à notre conversation téléphonique de ce matin, je vous confirme l'annulation de la commande ci-dessus, placée par ma société le 19 07 02. Je vous prie de bien vouloir nous en excuser.

Cordialement,

Patricia Winthrop

6. Envoyer une facture

Une facture doit comporter les nom et adresse de la société, date, numéro de référence de la facture, nom du destinataire, détails des articles ou services fournis, prix à l'unité, montant global et rappel des conditions particulières. En voici un exemple :

Kolpack plc
Unit 6
St Boswells Industrial Estate
St Boswells
Farnburghshire
GK8 5YT

Invoice no. 7690

FAO: Malcolm O'Bryan
67 Kelvinside Road
Glasgow
GL5 7LP
Quantity: 25
Description: desk diaries
Price excl VAT: £115
VAT: £20
Quantity: 200
Description: plastic report covers
Price excl VAT: £35
VAT: £6
Total Price: £176
Terms: 30 days nett

Kolpack plc
Unit 6
St Boswells Industrial Estate
St Boswells
Farnburghshire
GK8 5YT

Facture n° 7690

À : Malcom O' Bryan
67 Kelvinside Road
Glasgow
GL5 7LP
Quantité : 25
Description : agendas de bureau
Prix HT : 115 £
TVA : 20 £
Quantité : 200
Description : chemises plastique
Prix HT : 35 £
TVA : 6 £
Total : 176 £
Conditions : À régler sous 30 jours

7. Rédiger un accusé de réception

Kolpack plc
Unit 6
St Boswells Industrial Estate
St Boswells
Farnburghshire
GK8 5YT

Invoice no. 7690

Received from:
Malcolm O'Bryan

67 Kelvinside Road
Glasgow
£ 176 Payment received with thanks.
John Hawkwood

Facture n° 7690

Reçu de :

Malcom O'Bryan
67 Kelvinside Road
Glasgow

176 £

Paiement reçu avec nos remerciements.

John Hawkwood

8. Lettre promotionnelle

Le style d'un courrier publicitaire doit être léger sans
être trop familier. Renseignez-vous si possible sur
l'identité de vos clients potentiels de façon à personnaliser votre lettre. Vous pouvez joindre un échantillon
gratuit de votre produit. Enfin, indiquez clairement
comment vous contacter :

Fastline Publishing
Harrow House
Upper Cockburn Street
London
W1 4HC

Mrs JM Gielgood
Astleys Computer Products
19 West Coates Avenue
Norwich
N6 1PC

6 July 2002

Publishing Opportunities in Central Europe

Dear Mrs Gielgood

We are an established publisher of trade and business journals with high visibility throughout Central Europe.

Currently we are offering special advertising rates and benefits to new customers.

This is an excellent opportunity for your company to increase its share of the I.T. market in the growing Central European market place.

Please find enclosed two complementary copies of our journals. If you wish to pursue our offer, or require any further information, contact our enquiry line on Freefone 0800 3765.

I look forward to hearing from you and to a possible future partnership.

Yours sincerely

T. Norris

Sales Director

6 juillet 2002

Chère Mme Gielgood,

Nous sommes une maison d'édition renommée, spécialisée dans les revues d'affaires et couvrant la plupart des pays d'Europe centrale.

Nous offrons des tarifs et avantages exceptionnels à nos nouveaux clients.

Il s'agit d'une occasion unique pour votre société de s'imposer davantage sur le marché florissant des technologies de l'information en Europe centrale.

Nous vous faisons parvenir ci-joint gracieusement deux exemplaires de nos journaux.

Si vous désirez profiter de notre offre ou recevoir de plus amples informations, contactez-nous au numéro vert 0800 3765.

Dans l'attente d'une réponse de votre part et en espérant vous compter bientôt parmi nos partenaires.

Sincères salutations,

T. Norris

Responsable des ventes

67

9. Rédiger une petite annonce

Une petite annonce se rédige dans un style abrégé. Vous pouvez vous passer des articles, prépositions et certaines formes verbales. Les offres de service se rédigent à la troisième personne. N'oubliez pas de laisser un numéro de téléphone où l'on puisse vous contacter :

" Experienced, mature babysitter seeks 4-5 hours' work per week.

Babysitter avec expérience cherche 4 à 5 heures de travail par semaine. »

" Cleaner required light housework two days a week. Good rates offered.

Recherchons femme de ménage, petits travaux de nettoyage, deux jours par semaine. Bon salaire. »

" Maths undergraduate offers help with revision. Friendly approach. £12/hour.

Étudiant licence de Maths offre aide pour révisions. Ambiance amicale. 12 £/heure. »

" French student studying for MA in Edinburgh offers private French tuition
Competitive rates Grammar and spoken language covered Preparation for exams
Phone Danièle on 0131 488 6798

**Étudiante française en maîtrise à l'Université d'Édimbourg donne cours particuliers.
Tarifs intéressants, Grammaire et conversation, préparation aux examens. Appeler Danièle au 0131 488 6798.** »

Testez vos connaissances

I. Choisissez la bonne préposition :

1. Further .... your advertisement in this month's edition of "Computer Monthly", I am writing to request a brochure on your laptops.

2. We hope you will enjoy shopping with Aldis, and thank you for your interest .... our company.

3. I must apologise sincerely .... the treatment you received.

4. I assume that the amount payable will be subject .... the usual trade discount.

II. Choisissez la bonne réponse :

1. *Que signifie l'abréviation « Encl. » au bas d'une lettre ?*
(a) *Encoded*
(b) *Enclosure(s)*
(c) *Encryption*

2. *Où doit-on inscrire l'adresse du destinataire dans une lettre commerciale ?*
(a) *Au milieu, en haut*
(b) *En haut à droite*
(c) *À gauche, sous l'adresse de l'expéditeur*

69

Réponses :

I. *to - in - for - to* **II.** *1b - 2c*

1. Généralités

Pour une demande de stage, une réponse à une offre d'emploi ou une candidature spontanée, votre lettre, de format A4, doit être rédigée sur traitement de texte. Seule votre signature doit être manuscrite.

Structurer sa lettre de candidature

Pour toute demande d'emploi, certains éléments doivent être nécessairement mentionnés. Vous trouverez ci-dessous des expressions qui vous guideront à chaque étape. En premier lieu, précisez le poste pour lequel vous postulez :

" *I am writing to inquire as to whether you would be interested in offering me a short period of work experience in your company.*
J'aimerais savoir s'il vous serait possible de m'offrir un stage pratique dans votre entreprise. »

" *I would like to inquire as to whether there are any openings for junior sales administrators in your company.*
Je voudrais savoir si votre entreprise recherche actuellement un jeune responsable des ventes. »

" *I am writing to apply for the post of web designer.*
Je souhaite présenter ma candidature au poste de concepteur de sites web. »

" *I would like to apply for the position of computer programmer, as advertised on your website.*
Je souhaite poser ma candidature au poste de programmeur en informatique annoncé sur votre site internet. »

" *I am writing to apply for the above post, as advertised in the 'Independent' of 4 August 2002.*
Suite à l'annonce parue dans l'"Independent" du 4 août
2002, je souhaite poser ma candidature au poste mentionné ci-dessus. »

⚠️ **Utilisez la phrase ci-dessus si vous avez déjà
mentionné le titre et éventuellement le numéro de
code du poste visé à la ligne « Objet ». Notez aussi
qu'en anglais britannique, on peut écrire aussi bien
'enquire' que *'inquire'*.**

Donnez ensuite quelques exemples tirés de votre expérience personnelle prouvant que vous convenez pour le
poste à pourvoir :

" *I achieved a distinction at A Level Maths.*
J'ai obtenu une mention aux épreuves de mathématiques
de A level. »

" *I contributed to the development of our accounting
software.*
J'ai contribué à la création d'un logiciel de
comptabilité. »

" *I co-ordinated the change-over from one operating
system to another.*
J'ai coordonné la mise en place d'un nouveau système
d'exploitation. »

" *I developed new designs for a range of table linen.*
J'ai créé une nouvelle ligne de linge de table. »

" *I gained experience in several major aspects of
marketing.*
J'ai l'expérience de plusieurs secteurs clés du
marketing. »

" *I implemented a new system to monitor production.*
J'ai assuré la mise en place d'un nouveau système de
contrôle de la production. »

" I presented our new products at the annual sales fair.
J'ai présenté nos nouveaux produits à la foire exposition annuelle. »

" I have supervised a team of freelancers on several projects.
J'ai dirigé une équipe de freelances sur différents projets. »

Vous pouvez alors énumérer vos qualités personnelles :

" I see myself as systematic and methodical in my approach to work.
Je suis organisé et méthodique dans mon travail. »

" I am an impartial and tolerant person, with an ability to get on well with people from all walks of life.
Je suis impartial et tolérant et suis capable de bien m'entendre avec des personnes de milieux très différents. »

" I am hardworking and commercially minded, and able to stay calm under pressure.
J'ai l'esprit commercial, je suis capable de me donner à fond dans mon travail et de rester calme dans les périodes de pression. »

" My last job required me to be sensitive and tactful, and I feel that my personality proved to be suited to this type of work.
Mon dernier emploi exigeait du tact et un sens de la nuance, et je pense que ma personnalité correspondait tout à fait à ce genre de travail. »

Expliquer également pourquoi vous souhaitez obtenir ce poste :

" I am keen to find a post with more responsibility where I can use my programming skills.
Je désire occuper un poste à responsabilités dans lequel je puisse utiliser mes compétences en programmation. »

73

" I have been doing temporary work, and now wish to find a more permanent full-time position.
J'ai occupé des postes intérimaires et désire désormais un emploi à temps complet. »

" *I would now like to further my career.*
Je désirerais maintenant faire évoluer ma carrière. »

" *After extensive research, I feel that your company's activities most closely match my own values and interests.*
Après des recherches approfondies, je suis parvenue à la conclusion que les activités de votre entreprise correspondent mieux à mes valeurs et centres d'intérêt personnels. »

Montrez-vous motivé et disponible pour un entretien :

" *I would be pleased to come for an interview at your convenience.*
Je suis disponible pour un entretien selon votre convenance. »

" *I would be delighted to meet you to discuss the position further. I am available on Monday and Wednesday afternoons.*
Je serais ravi de vous rencontrer pour vous donner davantage de précisions. Je suis disponible les lundi et mercredi après-midi. »

" *Please do not hesitate to contact me if you need more detailed information.*
N'hésitez pas à me contacter si vous le désirez pour un entretien plus approfondi. »

2. Demande de stage et d'emploi

Effectuer une demande de stage

S'il s'agit d'une demande de stage, vous n'êtes sans doute qu'au début de votre carrière et n'avez peut-être pas encore de réussite professionnelle à faire valoir. Concentrez-vous sur les qualités requises pour ce genre de travail et faites remarquer que vous pensez avoir le profil qui convient.

5 Lower King's Street
Cambridge
CA3 5BN
Ms F Osborne
Grandley's Merchant Bank
45-47 Monument Street
London
E1 6JZ
4 August 2002

Dear Ms Osborne

I am a student, currently in my final year of a Business Studies degree.

I am writing to inquire as to whether you have any openings for three months' work experience in your department during the period July to September this year.

Throughout my course of study, I have concentrated particularly on overseas markets, imports and exports, and business English, and so I hope that while learning from your business activities, I may also be able to help out with some of the simpler tasks in the office.

I am reliable and punctual, and am looking forward to getting an insight into the world of work.

Please do not hesitate to contact me if you require any more information. I am available for interview on Wednesday and Friday afternoons. In the meantime, I look forward to hearing from you.

Yours sincerely

Jane Parkinson

4 août 2002

Chère Mme Osborne,

Je suis étudiante en dernière année d'études commerciales.

J'aimerais savoir si vous recherchez des stagiaires dans votre service pour la période de juillet à septembre cette année.

Au cours de mes études, je me suis particulièrement intéressée aux marchés étrangers, à l'import-export ainsi qu'à l'anglais des affaires. C'est pourquoi je pense pouvoir vous être utile pour la réalisation de tâches simples, qui me permettraient par la même occasion de mieux connaître les activités de votre entreprise.

Je suis fiable et ponctuelle et souhaite me familiariser avec le monde du travail.

N'hésitez pas à me contacter si vous désirez de plus amples informations. Je serais disponible pour un entretien les mercredi et vendredi après-midi.

Dans l'attente d'une réponse de votre part, je vous prie d'accepter l'expression de mes meilleurs sentiments.

Jane Parkinson

La candidature spontanée

Si vous recherchez un emploi précis, essayez d'obtenir de l'entreprise la dénomination exacte du poste qui vous intéresse. Si vous avez déjà eu un contact avec l'entreprise concernée, vous pouvez y faire référence dans votre lettre et joindre votre CV.

18 Sheriff's Brae
Glasgow
GL8 2MS
Mr D Thomson
Personnel Manager
Fraser's Department Store
20-24 Prince's Gardens
Glasgow
GL1 3RD
2 July 2002

Subject: Management traineeship

Dear Mr Thomson,

Thank you very much for taking the time last Wednesday to speak to me about the possibility of a training position with your company.

Your advice has strongly encouraged me to pursue a career in this field, and your company's core activities closely match my own interests.

I would therefore like to apply for a Trainee Manager placement.

Please find attached a CV which highlights my professional experience and qualities which I feel make me suited to this position.

I have a strong interest in and knowledge of staff management, and have gained extensive experience in handling heavy workloads and meeting deadlines.

I pride myself on being well-organised and a self-starter, and have excellent communication skills.

I am extremely motivated to develop my career with Frasers' department stores, and so would very much appreciate the opportunity to discuss further my suitability for a traineeship.

Please feel free to contact me, either by email: fo-brien@quickserve.com, or by leaving a message on 01625 456123. I look forward to speaking to you soon.

Yours sincerely,

Ms Fiona O'Brien

2 juillet 2002

Objet : demande de stage de direction.

Cher M. Thomson,

Je vous remercie d'avoir accepté de vous entretenir avec moi mercredi dernier au sujet d'un éventuel stage de formation dans votre entreprise.

Notre conversation m'a persuadée de poursuivre ma démarche d'autant que les activités principales de votre entreprise correspondent tout à fait à mes centres d'intérêt.

Je souhaite donc soumettre ma candidature au poste de directeur stagiaire. Le CV ci-joint rend compte de mon expérience professionnelle et souligne les qualités qui me paraissent faire de moi une candidate idéale.

J'ai une bonne connaissance des questions d'encadrement d'entreprise auxquelles j'attache un intérêt particulier. J'ai l'habitude du travail intensif dans le respect des délais impartis.

Je suis organisée et indépendante et possède de bonnes qualités de communication.

Je souhaite vivement poursuivre ma carrière professionnelle dans les magasins Frasers et serais heureuse de pouvoir m'entretenir avec vous d'un stage de formation dans votre service.

Vous pouvez me contacter par e-mail à l'adresse suivante : fobrien@quickserve.com, ou me laisser un message au 01625 456123.

Dans l'espoir de vous rencontrer bientôt, recevez l'assurance de mes meilleurs sentiments.

Mme Fiona O' Brien

Répondre à une offre d'emploi

Si vous répondez à une annonce précise, indiquez où vous avez vu l'annonce ainsi que le poste concerné : *'I am responding to your advertisement for a graphic designer, which appeared in the 'Guardian' on 22 October, 2002'* (*« Suite à l'annonce parue dans le "Guardian" du 22 octobre 2002, je soumets ma candidature au poste de concepteur graphique »*). Voici un modèle de réponse à une offre :

Subject: application for post of desktop publishing manager

Dear Mrs Williams

I am writing in response to your advertisement in the January edition of "Publishing News", and am enclosing my CV for your review.

I have gained valuable experience in book design using various types of publishing software, and have written technical specifications and supervised page design and layout for both dictionary text and illustrated books.

In my current position at Isis Press, I have initiated monitoring systems that enable pre-press controllers to work more easily with authors and other editors.

I am currently attending an evening class on the use of Quark Express for the advance user, and am now looking for a post which would give me an opportunity to use my new skills.

I look forward to having the opportunity to discuss the position further with you. I shall be in London for a week at the end of January, and would be available for interview any time between the 24th and the 31st.

Yours sincerely

Katie Mitchell

Objet : candidature au poste de directeur de PAO

Chère Mme Williams,

Je vous écris en réponse à l'annonce parue dans le numéro de janvier de « Publishing News » et je joins mon CV.

Je possède une solide expérience de la conception éditoriale et ai travaillé avec une grande variété de logiciels.

J'ai rédigé des manuels techniques et contrôlé la conception et la mise en page de dictionnaires et de livres illustrés.

À Iris Press, où je travaille actuellement, j'ai effectué la mise en place d'un système de monitoring facilitant les échanges des contrôleurs pré-presse avec les auteurs et les rédacteurs.

Je suis actuellement un cours de formation avancée sur QuarkXPress et aimerais trouver un emploi qui me permette d'utiliser mes nouvelles compétences.

J'espère avoir bientôt l'occasion d'en parler avec vous. Je me trouverai à Londres pour une semaine fin janvier et serai disponible pour un entretien selon votre convenance entre le 24 et le 31.

Sincères salutations,

Katie Mitchell

3. Modèle de CV

Job objective: webmaster

Term Address:
138 Trinity Crescent
Langholm
Nottinghamshire N13 6JN
Telephone: 01378 456978
Home Address:
76 Sycamore Drive
Smallfield
Sussex RH9 4CD
Telephone: 01452 587234
Email address: meverett@whincop.com

Date of Birth: 11.6.80

Nationality: British

Education and Qualifications

2002: BSc in Computer Studies
Final year project: development of a program for tracking accessibility of websites
1996-1998 - A-levels: English, Maths, Computer Studies, French
1994-1996 - GCSEs English, Maths, Geography, History, Sciences, Computer Studies, Art and Design Work

Experience

2001-2002 - Worked part-time as a cybercafé assistant
2000 - Participated in the organisation of a conference on the future of office technology
1999 - Completed a period of work experience at Compunet, Nottingham

Other skills

In-depth knowledge of various operating systems:
Windows 2000, Windows NT, Linux, Mac OS

Languages

French: fluent
German: spoken
Spanish: basic knowledge

Other information

Full clean driving licence

References available on request

Webmaster

Nom : Martin Everett
Adresse : 138 Trinity Crescent
Langholm
Nottinghamshire N13 6JN
Téléphone : 01378 456978
Adresse permanente : 76 Sycamore Drive
Smallfield
Smallfield Sussex RH9 4CD
Téléphone : 01452 587234
Adresse e-mail : meverett@whincop.com

Date de naissance : 11.6.80

Nationalité : Britannique

Formation et Qualifications

2002 - BSc en Informatique
Rapport de fin d'année : création d'un programme d'évaluation de
l'accessibilité des sites Web
1996-1998 - A-levels : Anglais , Maths, Informatique, Français
1994-1996 - GCSEs : Anglais, Maths, Géographie, Histoire, Informatique, Français, Arts graphiques

Expérience professionnelle

2001-2002 - Assistant de cybercafé à temps partiel
1999 - Participation à l'organisation d'une conférence sur l'avenir de
la bureautique
1999 - Stage chez Compunet, Nottingham

Autres compétences

Connaissance approfondie des logiciels Windows 2000, Windows
NT, Linux, Mac OS

Langues

Français (courant), Allemand (parlé), notions d'Espagnol

Divers

Permis de conduire

Recommandations : adresses disponibles sur demande.

Demander une lettre de recommandation

Il est de tradition, dans une lettre de candidature, de donner les coordonnées de deux personnes pouvant témoigner de vos qualités et compétences pour l'emploi auquel vous vous présentez. La personne vous recommandant est souvent un ancien professeur ou employeur. La courtoisie veut qu'on demande d'abord à cette personne si elle accepte de vous recommander. Vous pouvez ensuite inscrire son nom, sa profession et son adresse professionnelle à la fin de votre CV sous le titre : *'Referees'* (« *Personnes pouvant fournir des références* »). Ces personnes ne sont pas contactées systématiquement. Quand elles le sont, cela se passe généralement à la réception de votre lettre de candidature, ou après l'entretien si votre employeur a le sentiment que vous êtes le bon candidat. Voici un exemple d'une lettre à un ancien professeur :

Dear Mr Marchant

When I finished my degree in June last year, you very kindly suggested that I might use your name when applying for a job.

I am about to apply for the position of technical translator with Astral Oil, and would like to give your name as one of two referees.

The company may write to you, and I hope that you will be happy to write a favourable reference for me.

It is an extremely interesting job with good prospects.

I would like to take this opportunity to thank you for all the help and guidance you offered me during my final year at Leicester.

Yours sincerely

Philip Linneman

83

Cher M. Marchant,

Lorsque j'ai terminé mon diplôme en juin l'année dernière, vous m'aviez gentiment suggéré de donner votre nom si je me présentais à un emploi.

J'ai l'intention de me présenter à un poste de traducteur technique chez Astra Oil et aimerais vous choisir comme une des deux personnes pouvant me recommander.

La société vous écrira peut-être et j'espère que vous accepterez de leur fournir de bonnes références à mon sujet.

Il s'agit d'un travail extrêmement intéressant avec des possibilités d'évolution de carrière.

Je voudrais aussi vous remercier pour votre aide et vos bons conseils au cours de ma dernière année à Leicester.

Avec mes sentiments respectueux,

Philip Linneman

REMARQUE

Beaucoup d'entreprises envoient maintenant des formulaires de candidature à leurs futurs employés. Si l'on vous demande de remplir un tel formulaire, vous n'aurez besoin ni de lettre ni de CV. Cependant, une part importante du document est réservée à la description de vos compétences pour l'emploi en question. Vous pouvez utiliser les expressions suggérées ci-dessus pour parler de vos réussites et de vos qualités personnelles et pour expliquer pourquoi ce poste vous intéresse.

84

Testez vos connaissances

I. Choisissez le verbe qui convient et utilisez le bon temps :

1. *I would like to .... as to whether there are any openings for junior sales administrators in your company.*

2. *I would like to .... for the position of computer programmer, as advertised on your website.*

3. *I .... to the development of our accounting software.*

4. *I .... experience in several major aspects of marketing.*

5. *I have .... a team of freelancers on several projects.*

6. *Please do not .... to contact me if you would like to discuss this further.*

7. *I am .... my CV for your review.*

II. Mettez les phrases dans le bon ordre. La première est correcte :

1. *Thank you very much for taking the time last Wednesday to speak to me about the possibility of a training position with your company.*

2. *Please find attached a CV which highlights my professional experience and qualities which I feel make me suited to this position.*

3. *I would therefore like to apply for a Trainee Manager placement.*

4. *Your advice has strongly encouraged me to pursue a career in this field, and your company's core activities closely match my own interests.*

Réponses :

I. *inquire - apply - contributed - gained - supervised - hesitate - enclosing* **II.** *1 - 4 - 3 - 2*

1. Comptes-rendus de réunion

L'ordre du jour

L'ordre du jour permet d'organiser la réunion et d'en éclaircir les objectifs. Notez l'heure de début et l'heure de fin de réunion ainsi que le lieu. Mentionnez les sujets qui seront abordés. Ajoutez quelques détails pour chaque point en indiquant le temps qui leur sera consacré. Il est parfois utile de préciser quels participants interviendront pour chaque sujet abordé.

University of Bristol

Department of Information Technology

Monthly Meeting, 6 July, 2002

Agenda Start at 10:00 a.m. in Board Room

Participants: Richard Turner (RT), Anne Young (AY), Sandra Nelson (SN), Jon Currie (JC), Mark Asher (MA), Jane Walters (JW)

Approval of minutes of last meeting: 5 min

Financial Report-status of budget (RT): 20 min

Standards Group Report - development of security policy (MA): 10 min

Choice of new database software and expenditure implications (SN): 10 minutes

AOB: 15 min

End: 10.50 a.m.

> *Université de Bristol*
> *Département de Technologies de l'Information*
> *Réunion mensuelle, 6 juillet 2002*
> *Début de la réunion : 10.00, salle du Conseil*
> *Participants : Richard Turner (RT), Anne Young (AY), Sandra Nelson (SN), Jon Currie (JC), Mark Asher (MA), Jane Walters (JW)*
> *Approbation du procès-verbal de la dernière réunion : 5 mn*
> *Rapport financier - État du budget (RT) : 20 mn*
> *Groupe Normes de sécurité - Amélioration du règlement intérieur (MA) : 10 mn*
> *Choix du nouveau logiciel de données et coûts relatifs (SN) : 10 mn*
> *Divers : 15 mn*
> *Fin de séance : 10.50*

⚠ **Notez qu'***'AOB'* **est l'abréviation de** *'Any other business'* **(« *Divers* ») et précise que des points non mentionnés pourront être abordés lors de la réunion.**

La rédaction d'un compte-rendu de réunion

Vous trouverez ci-dessous des expressions qui vous aideront à rédiger vos procès-verbaux de manière professionnelle, puis un exemple de compte-rendu :

" *members present:*
   présents : »

" *members absent:*
   absents : »

" *The minutes of the last meeting of 5 June 2002 were approved.*
   Le procès-verbal de la réunion du 5 juin 2002 a été approuvé. »

" *The proposal was seconded by RT.*
La proposition a été appuyée par RT. »

" *SN reported that there would be no more money available for training this term.*
SN a annoncé qu'il n'y avait plus de fonds disponibles pour la formation ce trimestre. »

" *MA expressed concerns about staffing levels.*
MA a fait part de son inquiétude par rapport au nombre d'employés. »

" *MA's concerns were noted.*
La remarque de MA a été prise en compte. »

" *RT explained that training was already taking place.*
RT a dit qu'une formation avait déjà démarré. »

" *She stated that she hoped the project would be completed by the end of the year.*
Elle a précisé que le projet devrait aboutir d'ici à la fin de l'année. »

University of Bristol, Department of Information Technology

Minutes for Monthly Meeting, 6 July, 2002

Members present: Richard Turner (RT), Anne Young (AY), Sandra Nelson (SN), Jon Currie (JC), Mark Asher (MA).

Members absent: Jane Walters

The minutes of the last meeting of 17 June, 2002 were approved by RT and AY. RH reported that there would be £1.3 million available to department.

He welcomes input on how best to use the funds. Projects already suggested are:

    1) put together a number of classrooms each with 25 laptops;

    2) multi-media production workstations;

    3) training people in education technology;

    4) video-conferencing rooms and equipment.

MA reported for the Standards Group that they continue work on the revision of the Computing Security Policy.

SN reported that the initial expenditure for the new

database software was £120,000 and that another £200,000 is expected to be spent on hardware. She stated that she hopes that the entire project can be accomplished for under £500,000. In response to a question regarding training of existing staff, SN explained that some training was taking place now but that more intensive training would be planned for a time closer to the actual implementation of the new software.

AY initiated a short discussion about the use of existing video classrooms and it was reported that the rooms are consistently booked.

SN expressed some concern about the use of web-only-based courses to provide teacher certification classes.

Her concern was noted by the Council.

Université de Bristol, Département de Technologies de l'information

Ordre du jour de la réunion mensuelle du 6 juillet 2002

Présents : Richard Turner (RT), Anne Young (AY), Sandra Nelson (SN), Jon Currie (JC), Mark Asher (MA).

Absents : Jane Walters.

Le procès-verbal du 17 juin 2002 a été approuvé par RT et AY. RH a annoncé que £1.3 million seront mis à la disposition du département.

Il accueillera toute suggestion relative à l'utilisation des fonds.

Projets déjà suggérés :

1) création de plusieurs classes équipées de 25 portables ;

2) postes de création multi-média ;

3) stages de formation en technologies de l'éducation ;

4) salles de vidéoconférence et équipements.

MA a signalé que le groupe normes de sécurité poursuivait la révision de la politique de sécurité informatique.

SN a rapporté que les dépenses de départ pour la mise en application de la nouvelle base de données était de 120 000 £ et que 200 000 £ supplémentaires devront être dépensées en matériel informatique de base. Elle espère pouvoir compléter le projet pour une somme inférieure à 500 000 £.

Par rapport à la question sur la formation du personnel, SN a précisé qu'une formation était en cours actuellement mais qu'une autre plus intensive serait organisée au moment de la mise en route du nouveau logiciel.

AY a abordé le sujet des salles de cours équipées en vidéo et il a été confirmé qu'elles sont régulièrement utilisées. SN s'est inquiétée du fait qu'il serait difficile d'obtenir un certificat d'unité d'enseignement pour les cours donnés exclusivement sur l'Internet.

Le conseil a pris note.

REMARQUE

En Grande-Bretagne et aux États-Unis, il est impératif d'arriver à l'heure à une réunion. Dix minutes de retard seront considérées comme dix minutes de temps perdu par votre faute. Cette règle stricte a son bon côté : les réunions se terminent aussi généralement à l'heure prévue et s'il reste des aspects à traiter, ils seront l'objet d'une réunion ultérieure.

2. La note de service

Une note de service est généralement rédigée dans un style moins formel qu'une lettre d'affaires. Les notes de service font circuler l'information sur des faits nouveaux tels que des changements internes ou une augmentation des prix. Elles informent aussi les employés des réunions prévues. Quel que soit l'objectif de votre mémo, il doit être concis et bien structuré.

Coordonnées

Pour les coordonnées, vous devez respecter l'ordre suivant : inscrivez d'abord le nom de l'expéditeur (introduit par *'from'*), puis celui du destinataire (introduit par *'to'*).

" *FROM: Patrick Beasley*
TO: Jackie White, Katherine Allen
DATE: 4th January 2002
SUBJECT: introduction of flexitime
De : Patrick Beasley
À : Jackie White, Katherine Allen
4 janvier 2002
Sujet : mise en place d'un système d'horaires à la carte »

Introduction

Dans le paragraphe d'introduction, vous préciserez l'objectif de la note de service. Donnez le contexte et identifiez le problème de façon concise et claire :

" *You asked that I look at staffing levels in the IT department.*
Vous m'avez demandé d'examiner la question du nombre d'employés dans le département IT. »

" *I have been asked to determine the best method of implementing flexitime.*
On m'a demandé de réfléchir à la meilleure façon d'introduire des horaires à la carte. »

" *This memo presents a description of the current situation, some proposed alternatives, and my recommendations.*
Ce mémo décrit la situation actuelle, propose quelques alternatives et fait part de mes recommandations personnelles. »

Contenu d'une note de service

La section centrale est réservée aux faits sur lesquels s'appuient vos idées. Commencez par l'information la plus importante, puis présentez les différents points sous forme de listes.

" *I found that many people have concerns which have not been addressed.*
J'ai constaté que bon nombre d'entre nous se posent des questions qui n'ont pas été prises en compte. »

" *The new software has been highly successful in cutting production times.*
Le nouveau logiciel a permis de gagner beaucoup de temps au niveau de la production. »

" *Staff are, on the whole, in favour of the new flexitime system.*
Les employés sont dans leur majorité favorables aux horaires à la carte. »

" *Communications between the marketing and technical departments need to be improved.*
La communication entre le département du marketing et les services techniques demande à être améliorée. »

Conclusion

Terminez en précisant quel type d'initiatives vous attendez de votre lecteur. Dites en quoi cette action sera bénéfique et comment vous pouvez en faciliter la réalisation :

> " *I will be glad to discuss this recommendation with you at our weekly meeting on Tuesday.*
> *Je serai heureux de parler de cette idée avec vous lors de notre réunion hebdomadaire de mardi prochain.* »

> " *I am keen to hear your opinion on the subject, and would be available to discuss this on Wednesday afternoon next week.*
> *J'aimerais connaître votre opinion à ce sujet et serai à votre disposition pour en discuter mercredi prochain dans l'après-midi.* »

> " *I would value your input on this. When would be a suitable time to meet?*
> *J'aimerais avoir votre avis à ce sujet. Quand pouvons-nous nous rencontrer ?* »

⚠ **Il n'est pas nécessaire d'ajouter votre signature au bas d'une note de service.**

Voici un modèle de note de service :

Denise Jackson
CC: Nicky Fenton
Georgina Dean
12 July, 2002

Deadline for current stage of 'Revise Maths' project

You asked me to look into the problem of meeting the deadline for the 'Revise Maths' project. Below are my findings.

1) The author has suffered persistent bouts of illness over the last three months. She has completed only the first section;

2) Problems with the change-over to the new typesetting system has meant that staff have spent more time in training than was previously expected;

3) The national maths curriculum has been unexpectedly updated.

My recommendations are as follows:

1) Contact freelance authors who may be able to help to complete the work;

2) Hold a meeting with Pre-press manager to re-negotiate the schedule;

3) Attain copy of new curriculum, and pass on to newly hired freelance author.

George Thompson's approval of revised budget will be required before any action can be taken.

I would value your opinion on the above, and suggest we meet up as soon as possible to discuss this further.

Denise Jackson
CC : Nicky Fenton
Georgina Dean
12 Juillet 2002

Date limite pour l'étape actuelle du projet « Révisions Mathématiques »

Voici ce que j'ai constaté :

1) L'auteur a été régulièrement malade au cours des trois derniers mois. Elle n'a pu compléter que la première section ;

2) Les problèmes dus au changement de typographie ont eu pour conséquence un délai de formation de l'équipe plus long ;

3) Contre toute attente, le programme officiel de mathématiques a été modifié.

Mes recommandations sont les suivantes :

1) Contacter les auteurs freelance susceptibles de pouvoir aider à finir le projet ;

2) Prévoir une réunion avec le chef de pré-presse pour renégocier la date finale ;

3) Obtenir une copie du nouveau programme et le transmettre au nouvel auteur freelance.

L'accord de George Thompson sur la révision du budget est nécessaire avant de prendre toute nouvelle initiative.

J'aimerais connaître votre opinion sur les points ci-dessus et propose une réunion pour en discuter au plus tôt.

3. Le rapport

Titre

Le titre doit être bref mais explicite et doit indiquer la raison du rapport. Vous devez aussi faire figurer votre nom et la date.

" *An appraisal of virtual learning environments for initial training.*
Évaluation des centres virtuels d'apprentissage dans la formation initiale. »

" *Flexible work practices: a feasibility study*
Modes de travail à la carte : une étude des possibilités concrètes. »

Table des matières

Si le rapport est long, une table des matières sera nécessaire. Organisez votre rapport en chapitres ou sections spécifiques et donnez-leur un titre. Ces différentes parties doivent être numérotées et les numéros de pages indiqués au sommaire.

Introduction

La raison d'être de l'introduction est de justifier votre rapport. Formulez donc clairement ce que vous désirez démontrer.

" *This report appraises the advantages and disadvantages of flexible working for employees and employer.*
Ce rapport analyse les avantages et les inconvénients des horaires à la carte du point de vue de l'employeur et des employés. »

" *This report examines the implications of introducing virtual learning environments for the initial stages of some postgraduate courses.*
Ce rapport examine les implications de l'enseignement par Internet en début de formation universitaire de troisième cycle. »

" *A representative population of employees was studied over a six-month period.*
Un groupe représentatif d'employés a été étudié sur une période de six mois. »

Partie principale

La partie principale du rapport a pour fonction d'exposer tous les faits sur lesquels votre analyse est fondée. Présentez-les de façon claire et logique en comparant les données enregistrées au cours de votre recherche.

" *Firstly, staffing problems were examined.*
Les problèmes de recrutement ont été examinés en premier. »

" *Secondly, employees were asked to complete a questionnaire regarding their workday.*
Ensuite, un questionnaire sur leur journée de travail a été distribué aux employés. »

" *Finally, the material was collated and the data analysed.*
Finalement, le matériel a été collationné et les données analysées. »

" *On one hand, supervisors are enthusiastic about the idea of flexitime. On the other hand, they see several problems arising from it.*
D'un côté, l'encadrement est favorable à l'idée des horaires à la carte ; de l'autre, les cadres craignent que cela engendre un certain nombre de problèmes. »

" *While home-working is seen as desirable by the majority of staff, managers have some reservations about it.*
Alors que le travail à la maison est vu comme une chose souhaitable par l'ensemble des employés, la direction, elle, est plus réservée. »

⚠ **Un rapport est censé être un document objectif et par conséquent sera plutôt rédigé de manière impersonnelle. Une forme passive telle que, par exemple** *'employees were asked to complete a questionnaire'* **(« on a demandé aux employés de remplir un questionnaire »), est plus indiquée que l'emploi de la première personne, qu'il vaut mieux systématiquement éviter.**

Conclusions et recommandations

La conclusion devrait tirer les conséquences de l'analyse effectuée dans les sections centrales du rapport et comporter des recommandations claires visant à améliorer la situation examinée.

" *In the light of this research, it can be concluded that while entailing an initial cost to the company, the proposed scheme will be beneficial to both employer and employees.*

Compte tenu des résultats de notre recherche, il est possible de conclure que, malgré la nécessité d'un investissement financier initial, le plan proposé devrait bénéficier aux employés autant qu'à la direction. »

" *Recommendations:*
1) Set up team to recruit new distance learning manager.
2) Re-assess I.T. budget with a view to purchasing four webcams.
3) contact marketing department to arrange for creation of publicity material.

Recommandations :
1) Élire un comité chargé de recruter un directeur de l'enseignement à distance.
2) Revoir le budget informatique en vue de l'achat de quatre webcams.
3) Contacter le département marketing pour organiser la création de supports publicitaires. »

Appendices

Vous rassemblerez sous ce titre les informations supplémentaires qui auraient alourdi la lecture de votre rapport. Placez-y les données, lettres et questionnaires auxquels vous faites référence dans la partie centrale du rapport.

Testez vos connaissances

✍ I. Choisissez la bonne réponse :

1. *Que signifie le terme « agenda » ?*
   (a) un compte-rendu de réunion
   (b) un ordre du jour
   (c) un agenda

2. *Dans un compte-rendu de réunion, comment mentionne-t-on les participants ?*
   (a) par leur prénom
   (b) par leur nom de famille
   (c) par leurs initiales

3. *Dans l'en-tête d'un e-mail, que signifie « CC » ?*
   (a) courtesy copy
   (b) clear and concise
   (c) certified copy

✍ II. Complétez le texte :

1. The .... of the last meeting of 17 June, 2002 were .... by RT and by AY. RH .... that there would be £1.3 million available to department. He welcomes .... on how best to use the funds.

Réponses :

I. 1b - 2c - 3a
II. minutes - approved - reported - input

Grammaire anglaise

Les noms

1. Le genre

En anglais, les noms n'ont pas de genre grammatical et les articles définis (*the*) et indéfinis (*a/an*) sont invariables. Certains noms ont une forme masculine et une forme féminine (*steward/stewardess*).

2. Le pluriel

La marque du pluriel est généralement un *–s*.

pen/pens, *house/houses*, *car/cars*

Dans certains cas, le pluriel entraîne une modification du nom.

(wo)man/(wo)men, *child/children*, *tooth/teeth*, *mouse/mice*

Certains noms ont la même forme au singulier et au pluriel.

sheep, *deer*, *fish*, *aircraft*, *series*, *species*

3. Dénombrables et indénombrables

Les dénombrables sont les noms qui ont un singulier et un pluriel et que l'on peut compter. Ils peuvent être précédés de *a/an*, *the*, *some* ou d'un nombre.

Singulier : *a book*, *the book*, *one book*

Pluriel : *some books*, *the books*, *three books*

Les indénombrables n'ont pas de pluriel. Ils renvoient à des ensemble d'objets, à de la matière, à des notions abstraites ou à des états. Ils peuvent être précédés de *some* : *water*, *furniture*, *money*, *food*, *work*, *happiness*.

Les articles

1. L'article indéfini

a ou *an* ?

L'article *a* s'emploie devant une consonne : *a car*, *a job*, *a year*.

On l'emploie aussi devant un nom qui commence par une voyelle prononcée [j] ou [w] ou devant un « h » aspiré : *a university*, *a one-way ticket*, *a house*, *a husband*.

L'article *an* s'emploie devant une voyelle ou un « h » muet : *an animal*, *an architect*, *an hour*, *an honour*.

2. L'article défini

Emploi

The est l'article défini qui s'utilise pour tous les noms, au singulier comme au pluriel. Il correspond au français le, l', la et les. Il s'emploie pour indiquer que l'on parle de quelque chose ou quelqu'un de précis ou d'unique.

« *I can't find the dictionary.*
Je ne trouve pas le dictionnaire. »

Absence d'article

Devant les noms indénombrables et les dénombrables pluriels, l'absence d'article souligne l'aspect « générique » du nom.

« *I hate fish.*
Je déteste le poisson. »

Les adjectifs

Les adjectifs sont invariables : *a tall man/a tall woman*, *a friendly dog/friendly dogs*.

Les adjectifs épithètes se placent toujours devant le nom qu'ils qualifient : *a beautiful house*, *expensive shoes*.

 Attention !

Les adjectifs de nationalité s'écrivent avec une majuscule.

French wine, *English humour*.

Le comparatif et le superlatif

1. Le comparatif des adjectifs

Il existe trois catégories de comparatifs :

– le comparatif de supériorité (plus … que) ;

– le comparatif d'infériorité (moins … que) ;

– le comparatif d'égalité (aussi … que).

« *He is taller than you.*
Il est plus grand que vous. »

" She is more intelligent than her sister.
Elle est plus intelligente que sa sœur. »

" The cassette is less expensive than the CD.
La cassette est moins chère que le CD. »

" The book is as expensive as the CD-Rom.
Le livre est aussi cher que le CD-ROM. »

Le comparatif de supériorité peut se former de deux façons. En général, on ajoute *-er* aux adjectifs courts et on fait précéder les adjectifs longs de *more*.

taller, shorter, quicker mais *more intelligent, more expensive, more beautiful*

2. Le superlatif des adjectifs

Il existe deux catégories de superlatifs :

   – le superlatif de supériorité (le/la/les plus...) ;
   – le superlatif d'infériorité (le/la/les moins...).

Les superlatifs de supériorité se forment en faisant précéder l'adjectif de *the*. Pour les superlatifs, on ajoute *-est* aux adjectifs courts et on fait précéder les adjectifs longs de *most*.

" The tallest man.
L'homme le plus grand. »

" The most expensive book.
Le livre le plus cher. »

 Attention !

Certains adjectifs ont un comparatif et un superlatif irréguliers.

adjectif	comparatif	superlatif
bad	worse	worst
far	farther/further	farthest/furthest
good	better	best

Les pronoms personnels

Forme

		Pronom sujet	Pronom complément d'objet
Singulier			
1re personne		*I*	*me*
2e personne		*you*	*you*
3e personne	masculin	*he*	*him*
	féminin	*she*	*her*
	indéfini	*one*	*one*
	neutre	*it*	*it*
Pluriel			
1re personne		*we*	*us*
2e personne		*you*	*you*
3e personne		*they*	*them*

Le possessif

1. Le cas possessif

Pour indiquer une relation de possession qui se traduit en français par la chose possédée + de + le possesseur, en anglais, le nom du possesseur est suivi de *-'s* + le nom de la chose possédée.

" *Paul's mother.*
La mère de Paul. »
" *The boss's office.*
Le bureau du patron. »

 Attention !

Pour les noms au pluriel qui se terminent par un *-s*, le nom du possesseur est suivi de l'apostrophe puis du nom de la chose possédée.

" *My parents' car.*
La voiture de mes parents. »

2. Les adjectifs et les pronoms possessifs

		Adjectif possessif	Pronom possessif
Singulier			
1re personne		*my*	*mine*
2e personne		*your*	*yours*
3e personne	masculin	*his*	*his*
	féminin	*her*	*hers*
	indéfini	*one's*	
	neutre	*its*	
Pluriel			
1re personne		*our*	*ours*
2e personne		*your*	*yours*
3e personne		*their*	*theirs*

L'adjectif possessif se place devant le nom. Le pronom possessif s'utilise au lieu de la construction adjectif possessif + nom quand ce dernier a déjà été mentionné ou qu'il n'est pas nécessaire de le répéter.

" *That's his car and this is mine.*
Voilà sa voiture et voici la mienne. »

Exprimer le présent

Il existe deux formes de présent :

1. Le présent simple

formation

On utilise la base verbale à toutes les personnes excepté à la troisième personne du singulier qui prend un *-s*.

Forme de base : *work*

singulier : *I/you work* ; *he/she/it works* et *we/you/they work* au pluriel.

Le verbe *to be* (être) est irrégulier :

I am (je suis) ; *you are* (tu es) ; *he/she/it is* (il/elle est) ; *we are* (nous sommes) ; *you are* (vous êtes) ; *they are* (ils/elles sont).

Emploi

En règle générale, le présent simple correspond au présent de l'indicatif français.

Attention !

Dans les subordonnées introduites par *if*, *when* ou *after* qui ont une valeur de futur, on utilise le présent simple en anglais et non le futur comme en français.

" *I'll go on holiday when I have enough money.*
J'irai en vacances quand j'aurai assez d'argent. »

2. Le présent progressif
formation

Le présent progressif se forme avec l'auxiliaire *to be* au présent + la base verbale en *-ing*.

I am; *you are*; *he/she is* + *studying computing* (J'étudie/ il/elle étudie l'informatique) ; *we are*; *you are*; *they are*.

Emploi

Le présent progressif s'emploie pour parler d'un événement qui se passe pendant une période de temps limité qui inclut le moment présent :

" *At the moment I am working as a waitress.*
En ce moment je travaille comme serveuse. »

Il exprime aussi l'idée d'être en train de faire, c'est-à-dire pour parler d'un événement en cours d'accomplissement :

" *She is talking to a customer.*
Elle parle/est en train de parler avec un client. »

Il indique que l'action se produit au moment présent :

" *It is raining.*
Il pleut. »

Il peut avoir une valeur de futur quand il s'agit d'un projet dans un avenir proche :

" *We're moving house next Friday.*
Nous déménageons vendredi prochain. »

Le participe passé

Les formes du participe passé des verbes réguliers sont toujours les mêmes. Il suffit d'ajouter *-ed* à la base verbale : *finished*, *worked*, *talked*, *answered*, *looked*, *seemed*.

Attention, il existe un certain nombre de verbes irréguliers.

Exprimer le passé

En anglais, pour parler du passé, il existe deux temps principaux, le prétérit, le « vrai » temps du passé, qui parle d'un événement révolu et le parfait, qui décrit un passé « relatif », c'est-à-dire que l'événement qui a été accompli a des conséquences mesurables et visibles dans le présent.

1. Le prétérit simple
Formation

Les formes du prétérit des verbes réguliers sont toujours les mêmes et correspondent à celles du participe passé.

Emploi

Le prétérit simple s'emploie quand l'évènement appartient complètement au passé et qu'il y a une coupure par rapport au moment présent. Il correspond au passé composé ou passé simple en français.

« *I designed all the software for the traffic flow system in Milan.*
J'ai conçu tous les logiciels du système de circulation de Milan. »

Il s'emploie avec des indications de temps précises du passé comme les heures, les dates et des expressions telles que *on Monday*, *last night*, *two years ago*, *yesterday*, etc.

« *I graduated in Modern Languages and Business Studies two years ago.*
J'ai obtenu une licence de langues vivantes et d'études de gestion il y a deux ans. »

2. Le *present perfect* simple
Formation

have ou *has* (troisième personne du singulier) + participe passé.

Emploi

On emploie le *present perfect* quand il y a un rapport entre un événement du passé et la situation présente :

« *During the course of my work at Zappa Telescopics, I've become familiar with laser technology.*
Depuis que je travaille à Zappa Telescopics, je me suis familiarisé avec la technologie laser. »

Avec les verbes d'état, le *present perfect* exprime ce qui a commencé dans le passé et continue au moment présent :

He has looked ill for quite a while.
Ça fait un bon moment qu'il a mauvaise mine. »

Il s'utilise quand l'événement se situe dans un passé relativement vague, sans repères temporels :

Have you seen the latest Russell Crowe film?
Avez-vous vu le dernier film de Russell Crowe ? »

C'est le temps employé pour exprimer l'idée de jusqu'à maintenant avec des expressions comme *so far*, *until now*, *yet*, *not yet*, *ever*, *never*, *already*, *recently* :

I've never visited Japan.
Je ne suis jamais allé au Japon. »

I haven't been to London yet.
Je n'ai pas encore été à Londres. »

On l'emploie aussi pour dire depuis combien de temps un événement a lieu, ce qui correspond en français au présent de l'indicatif + depuis. Depuis se traduit par *for* (pour exprimer la durée) et *since* (pour exprimer un point de départ).

I have known Michelle for twenty years.
Je connais Michelle depuis vingt ans. »

I have known Michelle since 1982.
Je connais Michelle depuis 1982. »

3. Le plus-que-parfait, *past perfect* ou *pluperfect*

Formation

had + participe passé.

Emploi

L'emploi de ce temps correspond généralement à l'emploi du plus-que-parfait en français : il indique qu'un événement du passé est antérieur à un autre.

He had worked abroad before he became a German teacher.
Il avait travaillé à l'étranger avant de devenir professeur d'allemand. »

4. *Used to*

Cette expression se traduit par l'imparfait en français.

Elle s'emploie pour parler de quelque chose qui a eu lieu un certain temps dans le passé et qui a pris fin. Elle exprime l'idée de l'« avant » ou de l'« autrefois ».

He used to be responsible for the whole of the technical operations of the Nausica wreck project.
Il était responsable de l'ensemble des opérations techniques du projet de l'épave du Nausica. »

Le futur

En anglais, il n'y a pas de temps grammatical futur, mais il existe un certain nombre de façons d'exprimer ce qui va se passer dans l'avenir. Les différentes manières d'exprimer le futur reflètent différents degrés de probabilité ou indiquent s'il s'agit d'un futur plus ou moins proche.

1. *will* ou *shall* + base verbale

Will et *shall* sont souvent remplacés par leur forme contractée *-'ll*.

Shall n'est utilisé qu'à la première personne (singulier ou pluriel).

I'll ask him to call you back.
Je lui demanderai de vous rappeler. »

2. *to be going to* + base verbale

They're going to buy a new car.
Ils vont acheter une nouvelle voiture. »

To be going to go est souvent réduit à *to be going* :

We're going to the Lake District in July.
Nous allons (aller) dans la région des Lacs au mois de juillet. »

3. *to be to/be about to* + base verbale

The train is about to leave.
Le train est sur le point de partir. »

⚠ Attention !

Dans les subordonnées introduites par *if*, *when* ou *after* qui ont une valeur de futur, on utilise le présent simple en anglais et non le futur comme en français.

I'll go on holiday when I have enough money.
J'irai en vacances quand j'aurai assez d'argent. »

Les auxiliaires

En anglais, il faut utiliser des auxiliaires pour exprimer le temps, la voix, la négation, l'interrogation et la modalité.

On utilise *to be* pour former le passif et les formes progressives. Notez que la voix passive anglaise se traduit souvent par la voix active en français.

« *The bread was bought this morning.*
Le pain a été acheté ce matin/On a acheté le pain ce matin. »

On utilise *to have* pour former les formes composées des temps :

« *When he had given up work, he felt much happier.*
Quand il s'est arrêté de travailler, ils s'est senti beaucoup plus heureux. »

On utilise *to do* + base verbale pour former les phrases négatives, interrogatives ou emphatiques.

Au présent on emploie *do/does*. Pour la forme négative on emploie *don't/doesn't* (formes contractées de *do/does not*).

« *It doesn't get any better.*
Ça ne va pas en s'arrangeant. »

« *Do you know everybody?*
Connaissez-vous tout le monde ? »

Au prétérit, on emploie *did* et *didn't* (forme contractée de *did not*).

Les auxiliaires modaux sont *can*, *could*, *may*, *might*, *must*, *shall*, *should*, *will* et *would*. On les utilise pour exprimer un point de vue : la possibilité ou la probabilité (*can*, *could*, *may*, et *might*, pouvoir), ce qu'il convient de faire (*must*, *shall*, et *should*, devoir) ou la volonté (*will* et *would*, vouloir).

« *Could we meet some other time?*
Pourrions-nous nous rencontrer à un autre moment ? »

« *May I make a suggestion?*
Puis-je faire une suggestion ? »

« *You must stop working now.*
Vous devez arrêter le travail maintenant. »

« *Shall I close the window?*
Voulez-vous que je ferme la fenêtre ? (= Dois-je fermer la fenêtre ?) »

" I think John should find another flat.
Je pense que John devrait trouver un autre
appartement. »

Emploi

Les modaux sont tout simplement suivis de la base verbale :

" Can you repeat that please?
Pouvez-vous répéter cela s'il vous plaît ? »

Au présent, ils ont la même forme à toutes les personnes :

" You may/she may get the job.
Il se peut que vous ayez/qu'elle ait le travail. »

" She may return home tomorrow.
Il se peut qu'elle rentre demain. »

Certains modaux ne peuvent pas s'employer au passé ou
au futur. Il faut alors les remplacer par un équivalent :

" I don't know if I'll be able to unlock the door.
Je ne sais pas si je pourrai ouvrir la porte. »

" He had to take a day off because he didn't feel well.
Il a dû prendre un jour de congé parce qu'il ne se
sentait pas bien. »

To be, *to have*, *to do* et les modaux peuvent se contrac-
ter, en particulier en combinaison avec la négation *not*
qui se place toujours derrière l'auxiliaire.

Poser des questions

1. Comment former les questions

Pour poser une question en anglais, il faut utiliser un
auxiliaire.

Si le verbe est un auxiliaire, il suffit de faire l'inversion :
auxiliaire + sujet.

" Are you an engineer?
Êtes-vous ingénieur ? »

" Is he here on business?
Est-il ici pour affaires ? »

Si le verbe principal n'est pas un auxiliaire, il faut utiliser la construction : auxiliaire + sujet + verbe :

" Have you worked abroad?
Avez-vous travaillé à l'étranger ? »

" Could I use the bathroom?
Puis-je utiliser la salle de bains ? »

S'il n'y a pas d'auxiliaire, il faut employer *do* ou *does* au présent et *did* au prétérit, suivis de la base verbale.

" *Do you know everybody?*
Est-ce que vous connaissez tout le monde ? »

" *Did you have a good trip?*
Avez-vous fait bon voyage ? »

2. Les mots interrogatifs

Les pronoms interrogatifs

Ils se placent généralement en tête de phrase, mais peuvent être précédés d'une préposition.

" *Who lives at number 11 Downing Street?*
Qui habite au 11 Downing Street? »

" *Who/Whom do you see more often, Susie or Jane?*
Qui vois-tu le plus souvent ? Susie ou Jane ? »

" *Whose car is parked outside my house?*
À qui est la voiture garée devant chez moi ? »

" *Which one do you want?*
Lequel veux-tu ? »

Autres mots interrogatifs

" *How are you?*
Comment allez-vous ? »

" *How do you like your coffee, black or white?*
Comment prenez-vous le café, noir ou au lait ? »

" *When do they go on holiday?*
Quand partent-ils en vacances ? »

" *Where does she live?*
Où habite-t-elle ? »

" *Why does he go to Scotland?*
Pourquoi va-t-il en Écosse ? »

 Attention !

En anglais, pour demander comment est quelqu'un ou quelque chose, on ne peut pas utiliser *how*, il faut employer *what ... like*.

" *What's the new boss like?*
Comment est le nouveau patron ? »

Combien (de)

En anglais, on utilise *how much* + singulier et *how many* + pluriel.

" *How much money have you got?*
Combien d'argent avez-vous ? »

" *How many hours did you spend working on this project?*
Combien d'heures avez-vous passées à travailler sur ce projet ? »

Verbes à particule ou *phrasal verbs*

En anglais, les verbes composés sont très nombreux. On distingue les verbes prépositionnels qui sont formés de la base verbale suivie d'une préposition et d'un complément et les verbes à particule, c'est-à-dire ceux qui sont formés de la base verbale suivie d'une particule adverbiale (*up*, *down*, *off*, etc.) qui fait partie intégrante du verbe et en change le sens initial.

Comparez ainsi :

" *She always brings flowers.*
Elle apporte toujours des fleurs. »

" *She's bringing up three children under five.*
Elle élève trois enfants de moins de cinq ans. »

" *He makes candles.*
Il fait des bougies. »

" *He made the story up.*
Il a inventé cette histoire. »

" *I gave the children five pounds.*
J'ai donné cinq livres aux enfants. »

" *Why did you give up?*
Pourquoi avez-vous abandonné ? »

Un même *phrasal verb* peut également recouvrir plusieurs sens :

" *Turn the TV on.*
Allume la télé. »

" *They turned up late.*
Ils sont arrivés en retard. »

La particule est souvent un adverbe de lieu qui se place immédiatement après la base verbale :

" *Do sit down.*
Asseyez-vous, je vous prie. »

Certains verbes à particule se construisent avec une pré-position et un complément, ce qui donne ainsi au verbe un autre sens. Comparez :

To put up curtains (accrocher des rideaux), *to put up a guest* (héberger un invité), *to put up with a situation* (supporter une situation)

 Attention !

Quand le complément d'objet est un nom, il peut se pla-cer avant ou après la particule :
" *Turn the radio off/Turn off the radio.*
Éteignez la radio. »

Si c'est un pronom, il doit se placer devant la particule :
" *Turn it off.*
Éteignez-la. »

Quand il y a deux particules, elles restent collées au verbe :
" *She came up with a brilliant idea.*
Elle a eu une idée géniale. »

Quand le verbe à particule est suivi d'un autre verbe, ce-lui-ci est au gérondif :
" *I gave up smoking.*
J'ai arrêté de fumer. »

Il est conseillé d'opter pour le *phrasal verb* plutôt que pour le verbe anglais proche de son équivalent français, comme par exemple *to give up* au lieu de *to abandon*, *to find out* au lieu de *to discover*.

Liste des principaux verbes à particules pouvant être uti-lisés à la place de leurs équivalents proches des formes françaises : *to go in* (entrer), *to go up* (monter), *to go down* (descendre), *to look at* (regarder), *to set off* (partir), *to break off* (séparer).

Verbes irréguliers les plus courants

1. Première catégorie

Le prétérit et le participe passé de ces verbes ont la même forme. En voici quelques-uns parmi les plus fréquents :

bring	brought	keep	kept
buy	bought	build	built
dream	dreamt	find	found
feel	felt	hold	held

have	had	learn	learnt
hear	heard	light	lit
leave	left	make	made
lend	lent	meet	met
lose	lost	read	read
mean	meant	sell	sold
pay	paid	stick	stuck
say	said	understand	understood
send	sent	stand	stood
sit	sat	tell	told
sleep	slept	think	thought
spend	spent	win	won

113

2. Deuxième catégorie

En anglais américain, une des formes du participe passé de *to get* est *gotten*.

Ces verbes peuvent avoir des formes régulières dans certains sens (*to show*, *showed*, *shown*).

Le prétérit et le participe passé ont des formes différentes. Voici une liste non exhaustive de ces verbes :

Base verbale	Prétérit	Part. passé
be	was	been
become	became	become
begin	began	begun
choose	chose	chosen
do	did	done
drink	drank	drunk
eat	ate	eaten
fly	flew	flown
forget	forgot	forgotten
give	gave	given
ring	rang	rung
run	ran	run
show	showed	shown
sing	sang	sung
speak	spoke	spoken
swim	swam	swum

Base verbale	Prétérit	Part. passé
wear	wore	worn
break	broke	broken
come	came	come
drive	drove	driven
fall	fell	fallen
forbid	forbade	forbidden
get	got	got
go	went	gone
know	knew	known
ride	rode	ridden
see	saw	seen
steal	stole	stolen
take	took	taken
wake	woke	woken
write	wrote	written

3. Troisième catégorie

Ces verbes, d'une seule syllabe, se terminent par -d ou -t et ont une même forme pour la base verbale, le prétérit et le participe passé :

cost, cut, hit, hurt, let, put, set, shut.

La contraction

Les formes contractées de to be et des auxiliaires sont utilisées à l'oral et à l'écrit, dans un registre familier. Dans les phrases affirmatives, seuls to be, to have, will/shall et would possèdent des formes contractées. Tous les auxiliaires sauf may ont des formes contractées qui incorporent la négation not.

On utilise la contraction dans les phrases interro-négatives :

Can't you find it?

Doesn't he agree?

Dans les phrases affirmatives, seules les formes du présent sont contractées :

I'm going ; you're going ; he's/she's going ; we're going ; they're going.

Pour *to have*, les formes du présent et du passé peuvent être contractées : *They've got a flat in Paris*, *She's gone away*, *I'd decided to go*.

La forme contractée de *will* et *shall* est *'ll* : *I'll come tomorrow*, *it'll be all right*.

La forme contractée de *would* est *'d* : *He said he'd help me*, *I'd rather have tea*.

Dans les phrases négatives, les formes contractées de *to be*, *to have* et *to do* sont les suivantes :

to be : *are not/aren't*, *was not/wasn't*, *is not/isn't*, *were not/weren't*.

Attention, à la première personne du singulier, la forme contractée porte sur *am* (*'m*) alors que *not* reste entier : *I'm not sure what to do*.

to have : *have not/haven't*, *has not/hasn't*, *had not/hadn't*.

to do : *do not/don't*, *does not/doesn't*, *did not/didn't*.

Pour les auxiliaires modaux *can*, *could*, *might*, *must*, *shall*, *should*, *will* et *would*, les formes contractées sont les suivantes :

can/can't

La forme négative non contractée s'écrit en un seul mot : *cannot*.

could/couldn't, *might/mightn't*, *must/mustn't*, *shall/shan't*, *should/shouldn't*, *will/won't*, *would/wouldn't*.

N° de projet : 11005488 - Dépôt légal : mars 2009
Imprimé en France par I.M.E. - 25110 Baume-les-Dames